DEN SINDSSYGT NEMME GUIDE TIL IPADOS 17

KOM GODT I GANG MED DEN NYESTE
GENERATION AF IPAD, IPAD PRO OG IPAD MINI

SCOTT LA COUNTE

RIDICULOUSLY
SIMPLE BOOKS

ANAHEIM, CALIFORNIEN

www.RidiculouslySimpleBooks.com

Indholdsfortegnelse

Ansvarsfraskrivelse: *Bemærk, at selv om der er gjort alt for at sikre nøjagtighed, er denne bog ikke godkendt af Apple, Inc. og skal betragtes som uofficiel.*

INTRODUKTION

Kom godt i gang med iPadOS 17

Forestil dig en tid, hvor forestillingen om en enhed, der var slankere end en notesblok, men alligevel mere kraftfuld end de gamle stationære computere, virkede som en fjern drøm. Den drøm er nu en håndgribelig realitet med iPad.

Indkapslet i iPad'ens slanke design er en chip, der er lige så mægtig som dem, man finder i større bærbare computere. Det er ikke en almindelig tablet; denne iPad er et dynamisk værktøj, der giver dig uovertruffen ydeevne lige ved hånden og gør det muligt at udføre opgaver, der engang virkede utænkelige på en så slank og let enhed.

Uanset om du er ny i iPad-verdenen eller skifter fra en ældre model, er denne guide her for at hjælpe dig. Den er lavet til at navigere dig gennem de vigtigste elementer i iPadOS 17.

På siderne kan du udforske funktioner som f.eks:

- Multitasking
- Widgets
- Hurtig note
- FaceTime
- Beskeder
- Fokus

- Meddelelser
- Safari
- Kort
- Billeder
- Og meget mere

Er du ivrig efter at udnytte det fulde potentiale i din nye iPad? Lad os dykke ned i det!

Denne guide er ikke godkendt af Apple, Inc. og skal betragtes som uofficiel.

[1]

VELKOMMEN TIL

IPAD VS. IPAD

Der findes i virkeligheden fire iPads, når det gælder Apple: iPad Pro, iPad Air, iPad Mini og iPad. Kun iPad Pro og iPad blev opdateret i 2022. Som navnet antyder, er iPad Pro deres mest avancerede tablet og velegnet til folk, der ikke bruger den til hverdag - animatorer, forretningsfolk osv. Den almindelige iPad kan udføre seriøst arbejde, men den er rettet mod den afslappede bruger - den person, der bruger den til at se film, tjekke Facebook og måske spille et spil i ny og næ.

Før vi går i dybden med, hvordan man bruger iPad'en, skal vi lige se på, hvad der gør hver iPad unik.

iPad Pro vs iPad Air

Så Pro'en er tydeligvis kraftig, og Air'en er tydeligvis tynd - men hvad adskiller dem ellers?

iPad Pro er høj og bred med sine dimensioner på 280,6 x 214,9 x 6,4 mm, et veritabelt lærred, der giver mere plads til kreativitet og produktivitet. Chassiset, der er en omhyggelig blanding af glas og aluminium, rummer en betagende 12,9-tommers Liquid Retina XDR mini-LED LCD-skærm, et teknologisk spektakel med en iøjnefaldende lysstyrke på 1600 nits, Dolby Vision og en flydende opdateringshastighed på 120 Hz. Med den rå kraft fra Apple M2-chipsættet, der strømmer gennem dens kredsløb, lover iPad Pro en forrygende ydeevne med sin octa-core CPU og ti-core GPU, der behændigt håndterer enhver opgave.

Nu til iPad Air. Den præsenterer et mere beskedent forslag med sine dimensioner på 247,6 x 178,5 x 6,1 mm, hvilket giver en slankere og mere håndterbar ramme. iPad Airs 10,9-tommer Liquid Retina IPS LCD har måske ikke den samme maksimale lysstyrke som sin større søskende, men den skinner stadig klart med sine 500 nits. I hjertet banker Apple M1-chippen, forløberen for M2, men stadig en formidabel processor, der tilbyder robust ydeevne og effektivitet.

De to har ikke så få fællestræk: begge giver afkald på hukommelseskortpladsen til fordel for et robust internt lagerhierarki, hvor iPad Pro når højdepunktet på 2 TB kombineret med 16 GB RAM i det højeste niveau. De har begge et hovedkamerasystem, der er i stand til at indfange verden i fantastisk 4K, selvom iPad Pro forbedrer denne vision med et dobbeltkamera og en TOF 3D LiDAR-scanner til at forstå og kortlægge dybde med finesse. Til de selvreflekterende øjeblikke har begge iPads et selfie-kamera på 12 MP, som sikrer klarhed og detaljer i alle konferenceopkald og selfies.

Deres lydoplevelser er også bemærkelsesværdige, hvor iPad Pro kan prale af en kvartet af højttalere, der lover et fordybende lydbillede. Selvom iPad Air ikke er lige så avanceret, sikrer den stadig en fyldig lyd med sine stereohøjttalere. Symfonien af lyd fra begge enheder suppleres af fraværet af et 3,5 mm jackstik, et fælles træk, der betyder et skub i retning af trådløs lydfidelitet.

Trådløs teknologi er faktisk med, og begge enheder har Wi-Fi 6-funktioner, selvom iPad Pro udvider sit forbindelsesområde med Wi-Fi 6E og Bluetooth 5.3 i forhold til Airs Bluetooth 5.0. Med hensyn til opladning og dataoverførsel er begge enheder udstyret med USB Type-C, Pro med Thunderbolt 4 og Air med USB Type-C 3.1 Gen2.

Sikkerhed og interaktion er vævet ind i selve deres essens. iPad Pro stoler på Face ID for sikker autentificering, mens iPad Air vælger en finger-aftrykssensor, en forskel i tilgang, men alligevel lige i deres standhaftige sikkerhed.

Når det gælder farver og design, har iPad Air et mere levende udvalg med nuancer som Space Grey, Starlight, Pink, Purple og Blue, der appellerer til et bredere spektrum af individuelle smagsløg. iPad Pro, derimod, tilbyder et klassisk udvalg med sølv og Space Grey.

IPAD PRO VS IPAD

iPad, et fyrtårn af funktionalitet og farver, kom frem med en mindre, men alligevel levende 10,9-tommers Liquid Retina IPS LCD-skærm. Den var lettere, kun 477 gram, og lidt tykkere med en profil på 7 mm, hvilket gjorde den til den foretrukne led-sager for dem, der begiver sig ud på deres daglige rejser. Selv om skærmen ikke var så strålende som sin Pro-søskende, skinnede den stadig klart med 500 nits, hvilket var nok til at vække historier til live under dens trofaste brugeres blik.

Hjertet i iPad Pro er Apple M2-chipsættet, en octa-core mastodont flankeret af en ti-core GPU, klar til at gøre de mest skræmmende opgaver til ren barnemad. Uanset om det var for at fremtrylle detaljerede kunstværker eller beregne enorme datasæt, var den udstyret med en række forskel-lige lagrings- og RAM-muligheder, der nåede op på 2TB og 16GB RAM for dem, der længtes efter usete kræfter.

iPad'en, der drives af A14 Bionic-chippen, er heller ikke nogen slapsvans. Dens hexa-core CPU og fire-core GPU var formidable, designet til de moderne alkymister af kreativitet og produktivitet, om end med en mere jordnær tilgang, der tilbyder op til 256 GB lagerplads og 4 GB RAM.

Kameraerne på iPad Pro er dobbelte 12MP wide og 10MP ultrawide linser, ledsaget af en TOF 3D LiDAR-scanner til dybde, der fanger verden i al sin pragt. Til sammenligning havde iPad'en et enkelt 12MP bredt øje, som stadig er skarpt og opmærksomt, om end lidt mindre alvidende.

De firedobbelte højttalere på iPad Pro synger symfonier, mens iPad'ens stereohøjttalere nynnede melodiske melodier. Pro'en omfavnede forandringens vinde med Wi-Fi 6E og Thunderbolt 4, en stærk kontrast til iPad'ens Wi-Fi 6 og USB Type-C 2.0.

Sikkerhed var altafgørende, og iPad Pro kiggede mod fremtiden med Face ID, mens iPad forblev på jorden med en fingeraftrykssensor.

IPAD PRO VS IPAD MINI

Hvis du vil have en lille model, er iPad Mini den eneste rigtige mulighed. Men betyder lille, at den ikke er kraftfuld? Næppe!

iPad Pro er en veritabel kolos med sine 280,6 x 214,9 x 6,4 mm, der rager op over den lille iPad Mini, som måler mere beskedne 195,4 x 134,8 x 6,3 mm. Dens fysiske tyngde er en indikation af dens evner; iPad Pro vejer 682 gram for Wi-Fi-modellen og er dermed en sværvægter sammenlignet med de fjerlette 293 gram for Wi-Fi-iPad Mini.

Forsiden af iPad Pro er en storslået Liquid Retina XDR mini-LED LCD-skærm med en høj opdateringshastighed på 120 Hz, HDR10 og Dolby Vision-understøttelse med en lysstyrke, der typisk skinner med imponerende 1000 nits og kan nå op på 1600 nits, når den er på sit højeste. Mini's Liquid Retina IPS LCD når måske ikke disse høje højder, men dens 500 nits er ikke noget at spøge med og giver klare og levende billeder på den mindre 8,3-tommers skærm, som har en skarpere ~327 ppi tæthed sammenlignet med Pro's ~265 ppi.

Hjertet i iPad Pro er Apple M2-chipsættet med en octa-core CPU og en Apple GPU med 10-core grafik, en opsætning, der uden tvivl er mere kraftfuld end iPad Minis A15 Bionic med en hexa-core CPU og en 5-core GPU. Begge tilbyder jævn ydeevne, men Pro er gearet til tunge løft i professionelle workflows.

For fotoentusiaster har Pro et dobbeltkamera med en 12 MP wide- og 10 MP ultrawide-linse, der er beriget med en TOF 3D LiDAR-scanner til dybdesensing, hvilket giver større alsidighed sammenlignet med Mini'ens enkelte 12 MP wide-kamera. Begge kan optage 4K-video, men Pro udvider sine evner med funktioner som ProRes og Cinematic-tilstand.

Tilslutningsmulighederne på Pro er forbedret med Wi-Fi 6E og Bluetooth 5.3, hvilket overgår

Mini'ens Wi-Fi 6 og Bluetooth 5.0 en smule. For dem, der har brug for det ypperste inden for kablede overførselshastigheder og understøttelse af eksterne skærme, er Pro'ens USB Type-C-port med Thunderbolt 4 en gave, mens Mini'ens USB Type-C 3.1 stadig tilbyder robuste tilslutningsmuligheder.

Den biometriske sikkerhed er også forskellig: Pro vælger Face ID, som giver en problemfri oplåsningsoplevelse, mens Mini holder det taktilt med en fingeraftrykssensor integreret i tænd/sluk-knappen.

IPAD VS ANDROID OG WINDOWS

Lad os derefter kort se på, hvordan iPad'en klarer sig i forhold til andre tablets på markedet: især Android- og Windows-tablets. Før i tiden var tablets et afslappet følgeskab, som man kunne bruge på farten; nu er de arbejdsheste, som i nogle tilfælde helt kan erstatte computeren.

IPAD PRO 12.9 VS SURFACE PRO 9

I det ene hjørne står iPad Pro 12,9 tommer: Apples fremtidsvision indkapslet i et slankt aluminiumshus, der udstråler elegance og kraft. Dens dimensioner er præcise, dens vægt lige præcis nok til, at den føles solid uden at belaste brugeren. Et design, der ikke kun sigter mod at behage æstetisk, men også lover en førsteklasses taktil oplevelse.

I det modsatte hjørne står Surface Pro 9: Microsofts svar på det moderne computerproblem med en designfilosofi, der minder om rivalens, men med en vægt, der vidner om dens robusthed. Den er et løfte om holdbarhed for både den digitale nomade og den professionelle, og dens tilstedeværelse er en smule mere selvsikker, hvilket vidner om dens alsidige natur.

iPad Pro har en skærm, der er intet mindre end revolutionerende - et 12,9-tommers lærred, der bader brugerens syn i de rigeste farver og det klareste lys, fremstillet af banebrydende mini-LED-teknologi.

Surface Pro 9 kommer med en skærm, der ikke bare er levende, men også intelligent - den tilpasser sin farveprofil for at give en optimal oplevelse. Selvom den måske ikke kan prale af mini-LED-teknologien, holder den stand med en robusthed fra Gorilla Glass og en størrelse, der overgår iPad, om end kun lige akkurat.

Inden i iPad Pros chassis ligger hjertet af en drage - M2-chipsættet, Apples eget silicium, der puster ild i enhver opgave, understøttet af RAM, der sikrer, at ingen udfordring er for stor, alt imens det er integreret sømløst i iPadOS.

Surface Pro 9 er ikke i tvivl om sit svar og tilbyder et valg i sin computermotor - hvad enten det er Intels 12. generations processorer eller den specialdesignede Microsoft SQ 3 til dem, der ønsker at tage den mindre befærdede vej med 5Gforbindelse. Dens Windows 11 OS, som er lige så velkendt, som det er kraftfuldt, bringer den fulde desktop-oplevelse til en slank tabletform.

iPad Pro taler fremtidens sprog med sine USB-C- og Thunderbolt 4-funktioner, en portal til uovertrufne dataoverførselshastigheder og en bro til en verden af periferiudstyr.

Surface Pro 9 er udstyret med et veritabelt orkester af porte, en række tilslutningsmuligheder, der sikrer, at ingen enhed lades i stikken, og som giver fleksibilitet og funktionalitet i massevis.

SAMSUNG TAB S9

Forestil dig, at du holder iPad Pro i hånden, og at dens solide ramme fortæller om kraften indeni. Med sine 12,9 tommer er Liquid Retina XDR mini-LED-skærmen ikke bare stor, men også lysstærk med en maksimal lysstyrke, der kan konkurrere med middagssolen, og med Dolby Vision, der giver en filmisk farveoplevelse. Det er en enhed, der ikke er bleg for at vise sine aluminiumsknogler frem, selvom den er tavs om sin modstandsdygtighed over for elementerne.

Forestil dig nu Samsung Galaxy Tab S9, en mere slank konkurrent. Dens lettere konstruktion gør den til en drøm at håndtere, og med en IP68-klassificering er den en kriger mod støv og vand - en egenskab, som iPad Pro ikke har. Tab S9's Dynamic AMOLED-skærm er måske nok mindre med sine 11 tommer, men den blænder med levende farver og den dybeste sort takket være HDR10+-funktionerne.

Når det kommer til hjerne, er iPad Pro et kraftværk med sit Apple M2-chipsæt, et teknisk vidunder, der giver problemfri ydeevne, uanset om du maler et digitalt mesterværk eller redigerer din seneste 4K-video. Galaxy Tab S9 holder dog stand med Qualcomm Snapdragon 8 Gen 2, en Android-mester, der sikrer problemfri sejlads gennem de travleste arbejdsdage.

Lagerkrigen er interessant her. iPad Pro har en kapacitet på op til 2 TB, og den understøtter op til 16 GB RAM i de højere niveauer - selvom den ikke har mulighed for ekstern hukommelsesudvidelse. Galaxy Tab S9 tilbyder et ydmygt maksimum på 256 GB lagerplads og 12 GB RAM, men den omfavner fleksibiliteten ved et microSD-kortspor, hvilket gør den populær hos dem, der sætter pris på udvidelig lagerplads.

Fotoentusiaster vil måske hælde til iPad Pro med dens dobbelte kamera og det futuristiske touch af en LiDAR-scanner, der forbedrer både fotodybde og augmented reality-oplevelser. Galaxy Tab S9 holder det simpelt med et enkelt kamera på bagsiden, men går ikke på kompromis med kvaliteten af sine billeder eller det fremadvendte kameras evner.

Lydentusiaster, vær opmærksomme: Begge tablets har fire højttalere, men Galaxy Tab S9's er tunet af legendariske AKG. Tilslutningerne på begge er moderne, men kun iPad Pro har Thunderbolt 4, hvilket er en fordel for dem, der elsker højhastighedsdata.

GOOGLE PIXEL TABLET

Når iPad Pro 12,9" gør sin entré, er den straks genkendelig. Den store 12,9" Liquid Retina XDR mini-LED-skærm med en opdateringshastighed på 120 Hz og en fantastisk lysstyrke på 1600 nits giver et slående billede. HDR10- og Dolby Vision-understøttelse sikrer, at hvert billede er intet mindre end spektakulært og betager brugeren med et væld af high-definition farver og kontrast.

Indkapslet i et elegant aluminiumshus er denne iPad Pro både en visuel og taktil fornøjelse. Den har en stor kapacitet, men vejer kun beskedne 682 gram. Med understøttelse af en lang række netværk, herunder 5G, og en række tilslutningsmuligheder, anført af en USB Type-C-port med Thunderbolt 4, kan den prale af både alsidighed og kraft.

Hjertet i denne enhed er Apple M2-chipsættet, et teknisk vidunder, der sammen med op til 16 GB RAM får multitasking til at virke lige så ubesværet som en brise. Kameraerne, en 12 MP wide og 10 MP ultra-wide duo, suppleres af en TOF 3D LiDAR-scanner, der åbner op for en ny dimension inden for AR-applikationer.

Så vender vi blikket mod Google Pixel Tablet, en enhed, der nærmer sig tablet-konceptet med den enkelhed og tilgængelighed, der er symbolsk for Googles hardwarefilosofi. Dens 10,95-tommer IPS LCD-skærm er ikke så strålende som Apples, men har en respektabel opløsning på 1600 x 2560, hvilket sikrer, at din digitale verden præsenteres klart og tydeligt.

Pixel Tablet er klædt i en moderne aluminiumssilhuet og er betydeligt lettere med sine 493 gram, et nik til dem, der sætter pris på bærbarhed. Den giver afkald på mobilforbindelse og positionerer sig som en Wi-Fi-centreret enhed - en ledsager til hjemmet snarere end til den travle verden udenfor.

Googles eget Tensor G2-chipsæt driver Pixel Tablet og lover at levere en responsiv Android-oplevelse, som kan opgraderes til Android 14, hvilket sikrer, at den forbliver aktuel. Selvom det enkelte 8 MP-kamera på både for- og bagside er beskedent, er det i tråd med tablettens etos om enkelhed og anvendelighed.

APPLE KEYOG APPLE PENCIL

Du har måske købt en iPad, men har endnu ikke besluttet dig for Keyboard og blyanten. Så lad os kort tale om begge dele.

Tastaturet er, ja, et tastatur! Men hvis du har haft den gamle Apple Keyboard case, så vil du sikkert være glad for, at den gamle origami-stil er væk; måske er det bare mig, men jeg har altid haft svært ved at finde ud af, hvordan man folder den! Den her er meget enklere.

Enklere betyder, at en position er væk; på den tidligere version kunne den bruges som stativ uden tastaturet.. Sådan er det ikke længere. Den står selvfølgelig op med tastaturet åbent.

Det har også to positioner, så du kan have to synsvinkler; det er nyttigt, når du skriver på skødet, men ikke så funktionelt som tastaturetuiet med flere ubegrænsede muligheder med positionen.

Den er ikke voldsomt tung, men den tilføjer noget vægt; jeg anbefaler, at du tester den i en butik, før du køber den.

Den næste er Apple Pencil. Den er fuldstændig redesignet, og der følger ikke længere "spidser" med. Du er nødt til at købe dem ekstra. De er dog ret billige.

Den største fordel ved den nye Apple Pencil er, at du ikke behøver at tilslutte den. Den forrige generation skulle oplades i bunden af iPad'en i opladningsporten, hvilket virkelig kunne være i vejen. Denne generation er helt magnetisk.

iPad 2022 er kun kompatibel med den første generation af Pencil (som ikke oplades magnetisk); iPad Pro er kompatibel med den første og anden generation af Pencil.

LAD OS TALE OM DIT ANSIGT

Lad os kort tale om dit ansigt. Bare rolig - du er smuk! Det, jeg taler om, er Face ID. Du er måske vant til at bruge det på din telefon - det er en fantastisk funktion. Du har måske endda hørt om funktionen på nogle af iPad'erne. Så hvor er den? Medmindre du har en ny iPad, finder du den ikke. Fingeraftrykssensoren er alt, hvad du får. Så hvis du kigger rundt på iPad'en for at finde den, så lad mig spare dig for besværet: Face ID er der ikke.

Hvad er nyt i iPadOS 17?

Det bedste ved iPadOS? Det er altid en gratis opdatering.

Denne opdatering handler om at forbedre dine daglige interaktioner med din elskede enhed, uanset om du sender beskeder, browser eller dykker ned i kreative samarbejder. Lad os dykke ned i, hvad der er nyt, og hvordan disse opdateringer kan gøre din iPad-oplevelse endnu bedre.

Lad os starte med låseskærmen, for det er det første, du vil se efter en opdatering. iPadOS 17 inviterer dig til at gøre dette område til dit eget digitale lærred. Med nye muligheder som Astronomy-tapetet, der bringer kosmos til dine fingerspidser, eller Kalejdoskopet, der danser, når du drejer din enhed - vil din iPad føles endnu mere personlig. Og det er bare tapetet. Forestil dig Live Photos som dit tapet, der kommer til live, hver gang du rører ved skærmen - det er et lille touch, der tilføjer en masse magi.

At holde styr på realtidshændelser som madleverancer eller spilresultater plejede at betyde, at man skulle låse sin enhed op og lede efter apps. Sådan er det ikke længere. Live Activities er en ny funktion, der lader dig overvåge disse begivenheder direkte fra din låseskærm. Det er som at have en personlig assistent, der altid holder øje med dig.

Widgets er ikke noget nyt, men det er det at lægge dem på låseskærmen. iPadOS 17 giver dig mulighed for at se oplysninger som kalenderbegivenheder, vejropdateringer eller batteristatus uden et enkelt swipe. Og interaktive widgets? De er en game-changer. Nu kan du afspille musik, dæmpe lyset eller udføre andre handlinger direkte fra en widget med et enkelt tryk.

Beskeder får en markant overhaling i iPadOS 17. De nye iMessage-apps er mere tilgængelige takket være en praktisk plus-knap, som gør det nemt at dele billeder eller din placering. Det er nemmere at indhente samtaler med et tryk på indhentningspilen, og det føles utroligt intuitivt at swipe for at svare.

iPadOS 17 glemmer ikke den sjove side af kommunikation - klistermærker. Du kan lave brugerdefinerede stickers ud fra dine fotos og tilføje effekter for at give dem stil. Og disse klistermærker er ikke kun begrænset til Beskeder; med adgang via emoji-tastaturet kan du drysse dem ud i ethvert tekstfelt eller tilføje dem til dine dokumenter og billeder.

FaceTime introducerer muligheden for at efterlade video- eller lydbeskeder, når dit opkald ikke bliver besvaret. Udtryk dig med håndbevægelser, der udløser augmented reality-effekter på skærmen, eller start endda et FaceTime-opkald fra dit Apple TV.

Health-appen kommer på iPad med et skræddersyet design, der udnytter den store skærm. Det handler ikke kun om at spore fysisk sundhed; de nye funktioner giver værdifuld indsigt i mental sundhed og tilbyder vurderinger og værktøjer, der hjælper dig med at reflektere over din sindstilstand.

Udfyldning af PDF-filer får et løft med AutoFill, der bruger dine gemte kontaktoplysninger, og visning af PDF-filer i Notes er planlagt til senere i år. iPadOS 17 giver samarbejdet et løft, så du og dine kolleger kan se liveopdateringer, når I kommenterer dokumenter sammen.

Profiler i Safari giver dig mulighed for at holde dine browseroplevelser som arbejde og privat adskilt. Enhanced Private Browsing holder dine sessioner låst og mere sikre end før. Og hvis du hader at skrive de irriterende engangsbekræftelseskoder, udfylder iPadOS 17 dem nu automatisk for dig fra Mail.

Autokorrektur i iPadOS 17 er smartere, viser dig, hvad der er blevet ændret, og giver dig mulighed for at vende det om med et enkelt tryk. Prædiktiv skrivning er også mere smidig og kommer med forslag, mens du skriver, så du kan skrive beskeder hurtigere.

For kunstnere og brainstormere får de nye tegneværktøjer og formgenkendelsesfunktioner i

Freeform dine ideer til at poppe ud på lærredet. Samarbejd i realtid med Follow Along, som giver dig mulighed for at se dine samarbejdspartneres redigeringer, mens de sker.

iPadOS 17's Stage Manager giver fleksibilitet til dit arbejdsområde med mere kontrol over vinduernes størrelse og placering. Brug et eksternt kamera til FaceTime, og nyd mere organiseret og produktiv multitasking.

Spotlight-søgeresultater kommer til live med velkendte app-farver og ikoner, mens Siri nu accepterer back-to-back-anmodninger, hvilket strømliner dine interaktioner med din enhed.

AirPlay er blevet smartere med forslag til enheder baseret på dine vaner, og snart vil du kunne AirPlay på hotelværelser, der understøtter det. AirPods introducerer Adaptive Audio, blandingstilstande, der passer til dine omgivelser, og lettere skift mellem enheder.

Communication Safety er udvidet, og du kan nu sløre følsomme fotos og automatisk filtrere ukendte kontakter fra. Security Checkup er et nyt værktøj, der hjælper dig med at gennemgå og nulstille, hvem der har adgang til dine oplysninger.

KRAV TIL OPGRADERING

Så det lyder alt sammen godt, ikke?! Men hvem kan opgradere? Hvis din iPad kun er et par år gammel, burde det være fint. Her er alle de enheder, der er berettiget til en opgradering til iPadOS 17:

- iPad Pro 12,9 tommer (2. generation og nyere)
- iPad Pro 10,5 tommer
- iPad Pro 11" (1. generation og nyere)
- iPad Air (3. generation og nyere)
- iPad (6. generation og nyere)
- iPad mini (5. generation og nyere)

TAK FOR DEN FINE GESTUS, APPLE!

Og nu til det øjeblik, du har ventet på: hvordan man finder rundt på en iPad mini uden Home-knappen.

Husk, at disse bevægelser er ret universelle - de virker på iPad mini, og de virker på iPhones, der ikke har Home-knappen.

LAD OS TAGE HJEM

Først den nemmeste gestus: at komme til din startskærm. Har du pen og papir klar? Det er kompliceret... stryg op fra bunden af din skærm.

Det var det.

Det er ikke så langt fra at trykke på en knap. For pokker, din finger er endda det samme sted! Den eneste forskel er, at du bevæger din tommelfinger opad i stedet for indad.

MULTITASKING

Som Dorothy ville sige, er der intet sted som hjemme - men vi kan vel stadig give et skulderklap til multitask, ikke? Hvis du ikke ved, hvad det er, så er multitask den måde, du hurtigt skifter mellem apps på - du er i iMessage og vil gerne åbne Safari I stedet for at lukke iMessage, finde Safari fra start-skærmen og derefter gentage processen for at komme tilbage, bruger du multitask til at gøre det hurtigt.

På de gamle iPad's trykkede man to gange på Home-knappen. På den nye iPad mini swiper du op fra bunden, som om du ville gå til Home... men du skal ikke løfte fingeren; i stedet for at løfte fingeren skal du fortsætte med at swipe op, indtil du når midten af skærmen - på dette tidspunkt skulle du gerne se multitask-grænsefladen.

Hvis du har en app åben (Bemærk: dette virker ikke på startskærmen), kan du også lade fingeren glide hen over skærmens nederste kant; dette vil gå til den forrige åbne app.

MISSION CONTROL... VI SKAL BRUGE LOMMELYGTE

Hvis du ikke har bemærket det, sætter jeg disse funktioner i rækkefølge efter brug. Så den tredje mest almindelige gestus, folk bruger, er Control Center. Det er der, alle dine kontroller er placeret - tænk engang ... kontrol er, hvor kontroller er!

Vi gennemgår Kontrolcenter mere detaljeret senere i bogen. Lige nu skal du bare vide, at det er her, du kan justere lysstyrken, aktivere flytilstand og tænde for den elskede lommelygte. På den gamle iPad fik du adgang til Kontrolcenter ved at swipe op fra bunden af skærmen. No Bueno på den nye iPad mini-, hvis du husker, at du swiper op for at komme hjem.

Den nye gestus til Kontrolcenter er at stryge ned fra øverste højre hjørne af iPad mini (ikke øverste midterste, som vil gøre noget andet).

Notify Me Sådan får du notifikationer

Eck! Så mange bevægelser at huske! Lad mig give dig en hjælpende hånd. For at se notifikationer (det er de alarmer som e-mail og sms, du får på din tablet og telefon) skal du swipe ned fra midten af skærmen. Det er den samme måde, du gjorde det på før! Endelig er der ikke noget nyt at huske!

Jeg hader at stjæle din knogle tilbage, men om ikke at huske noget nyt: der er noget at huske :-(

Hvis du swiper ned fra højre hjørne, får du kontrolcenteret frem.Det var ikke tilfældet på de gamle iPads. Hvis man swiper ned et vilkårligt sted i toppen, kommer man til startskærmen. På den nye iPad mini kan du kun swipe i midten.

PÅ JAGT EFTER SVAR

Hvis du er ligesom mig, har du sikkert en million apps - og fordi du gerne vil se baggrunden på din iPad minis startskærm, lægger du den million apps i én mappe! Det er måske ikke den bedste måde at

organisere et bibliotek på, men søgefunktionen på
iPad mini gør det nemt at finde noget hurtigt.

Ud over apps kan du bruge søgning til at finde
kalenderdatoer, kontakter, ting på internettet - du
kan endda søge efter tekst, der vises i et foto.

Den bedste del af søgningen? Den fungerer på
samme måde som på ældre iPads... der har du din

knogle tilbage! Fra din startskærm stryger du ned midt på skærmen.

KALDER PÅ ALLE WIDGETS

Widgets er altså noget af det nyeste og bedste på iPad. Fantastisk! Hvad er de for noget? Tænk på det som minisoftware. Den kører på din start-skærm, så du kan se oplysninger uden at åbne ap-pen. Hvis du f.eks. har aktier, viser den værdien af de aktier, du vælger, i realtid, så du ikke behøver at åbne noget. Målet er bare at spare dig et par sekunder i løbet af dagen - eller, i tilfældet med Photo-widget'en, som viser minder om steder, du har været, eller mennesker, du har mødt, at gøre din dag lysere.

Hvis du har en iPhone, ved du måske allerede, hvordan Widgets fungerer, for konceptet er det samme. Først skal du trykke og holde fingeren over startskærmen; det vil få ikonerne til at ryste og også sætte en +-knap op i venstre hjørne. Tryk derefter på +-knappen.

Dette viser de Widgets, der er tilgængelige. Efterhånden som flere udviklere laver Widgets til deres apps, vil du se dette område vokse. Husk, at du kun kan se Widgets til apps, du har downloadet til din enhed; så hvis du f.eks. ikke har Vejr-appen, kan du ikke se Vejr-widget'en.

Vejret er en populær widget, så lad os starte med at tilføje den. Gå til navnet Weather i menuen til venstre.

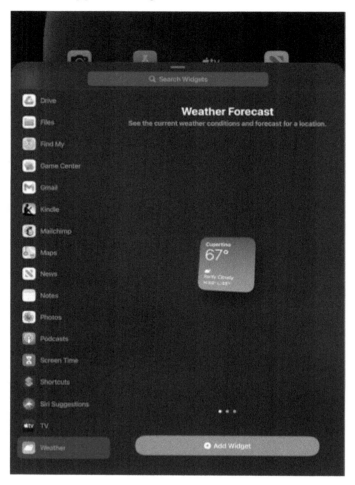

Under forhåndsvisningen ser du tre prikker; det betyder, at du kan swipe til højre for at se mere. Du vil bemærke, at forhåndsvisningen bliver større, fordi widgetten bliver større. Jo større forhåndsvisningen er, jo mere plads vil den tage på din startskærm. Når du ser den, du kan lide, skal du trykke på "Tilføj widget".

Nogle widgets har ting, man kan redigere i dem. Hvis du trykker og holder på widgetten, kan du se, om der er mere, du kan gøre. I tilfældet med vejr-widgetten kan du ændre placeringen. Bare tryk på Cupertino (eller den placering, der nu vises på din enhed).

Tryk derefter enten på "Min placering" for at vise den placering, din enhed befinder sig på i øjeblikket (hvis du rejser til en anden placering, ændres den automatisk), eller vælg søg og find manuelt den by, du vil vise.

Når du har valgt Udført, vises din widget på startskærmen.

SMARTE STAKKE

Du kan også tilføje en såkaldt Smart Stack som en widget. Det er en widget, der ændrer sig baseret på, hvad den forudser, at du vil bruge på et tidspunkt i løbet af dagen.

Hvis widgetten har samme størrelse, kan du trække den ind i en anden widgetboks for at skabe din egen Smart Stack.

Når den er tilføjet, kan du swipe op og ned i widgetten for at skifte mellem appene.

Hvis du trykker længe på den, kan du redigere stakken.

Når du redigerer den, kan du flytte, hvad der er i stakken, og slå Smart Rotate fra, så den ikke roterer i løbet af dagen.

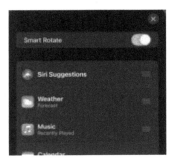

DEN LATTERLIGT ENKLE OPSUMMERING AF FØRSTE KAPITEL

Okay, så du har kun et minut til at komme i gang, og du har brug for en 1-minuts opsummering af alt det vigtige?

Lad os se på bevægelser. Venstre side vil være den måde, bevægelsen plejede at fungere på, og højre side vil være den måde, den fungerer på nye iPad minis.

Forrige generation af iPad mini	Næste generation af iPad mini
Gå til startskærmen - Tryk på startknappen.	Gå til startskærmen - Swipe op fra bunden af skærmen.
Multitasking - Tryk to gange på Home-knappen.	Multitasking - Stryg op fra bunden af skærmen, men løft ikke fingeren, før den når midten af skærmen.

Kontrolcenter - Stryg op fra bunden af skærmen.	Kontrolcenter - Stryg nedad fra øverste højre hjørne af iPad mini.
Meddelelser - Stryg nedad fra toppen af skærmen.	Meddelelser - Stryg nedad fra midten af toppen af skærmen.
Søg - Stryg ned fra midten af skærmen fra startskærmen.	Søg - Stryg ned fra midten af skærmen fra startskærmen.
Adgang til widgets - Stryg til højre fra start- eller låseskærmen.	Adgang til widgets - Stryg til højre fra start- eller låseskærmen.

[2]

OPSTART

OPSÆTNING

Jeg vil ikke bruge flere sider på at sætte din iPad mini op, så det tager tid fra hovedemnerne. Opsætningen er ligetil, og hjælpen på skærmen giver dig alt, hvad du behøver at vide. Der er dog et par ting, du bør vide om opsætningen:

Du kan ændre ting. Hvis du siger ja (eller nej) til noget, men ombestemmer dig, kan du ændre det i indstillingerne, som jeg vil gennemgå i de tilsvarende afsnit i denne bog.

Hvis du flytter fra en ældre iPad til iPad mini og gerne vil beholde alle indstillingerne, skal du sørge for at tage en sikkerhedskopi, før du gendanner den via skyen. For at gøre dette skal du gå ind i Indstillinger. Klik derefter på dit kontonavn (det første, du ser øverst). Derefter iCloud og iCloud

Backup (nær midten, når du scroller), og til sidst Back Up Now.

Face ID - Face ID er sikkert nyt for dig, medmindre du har sidste års iPhone X. En ting, der er værd at påpege, er, at du kan tilføje flere ansigter. Hvis f.eks. din ægtefælle eller dit barn bruger din tablet, kan de tilføje deres ansigt til Face ID og behøver ikke at indtaste en adgangskode eller bede dig om at låse den op, hver gang de vil bruge den.

BEVÆGELSER

I løbet af bogen vil jeg henvise til bestemte bevægelser. For at sikre, at du forstår terminologien, er de mest almindelige beskrevet nedenfor:

TRYK PÅ

Det er iPad-verdenens "klik". Et tryk er bare en kort berøring. Det behøver ikke at være hårdt eller vare særlig længe. Du trykker på ikoner, hyperlinks, formularvalg og meget mere. Du kan også trykke på numre på et touch-tastatur for at foretage opkald. Det er ikke ligefrem raketvidenskab, er det!

TRYK OG HOLD

Det betyder ganske enkelt, at man rører ved skærmen og lader fingeren være i kontakt med glasset. Det er nyttigt til at åbne kontekstmenuer eller andre muligheder i nogle apps.

DOBBELT TRYK

Dette refererer til to hurtige tryk, som at dobbeltklikke med fingeren. Dobbelttryk udfører forskellige funktioner i forskellige apps. Det zoomer også ind på billeder eller websider.

STRYG

Swiping betyder, at man sætter fingeren på skærmens overflade og trækker den til et bestemt punkt og derefter fjerner fingeren fra overfladen. Du bruger denne bevægelse til at navigere gennem menuniveauer i dine apps, gennem sider i Safariog meget mere. Det bliver helt naturligt fra den ene dag til den anden, det lover jeg.

TRÆK

Det er mekanisk det samme som at swipe, men med et andet formål. Du rører ved et objekt for at vælge det, og derefter trækker du det hen, hvor det skal være, og slipper det. Det er ligesom at trække og slippe med en mus, men det springer mellemmanden over.

KNIB

Tag to fingre, placer dem på iPad mini-skærmen, og bevæg dem enten mod hinanden eller væk fra hinanden i en knibende eller omvendt knibende bevægelse. Hvis du bevæger fingrene sammen, zoomer du ind i mange apps, herunder webbrowsere og fotofremvisere; hvis du bevæger dem fra hinanden, zoomer du ud.

DREJE OG VIPPE

Mange apps på iPad mini udnytter, at selve enheden kan drejes og vippes. For eksempel kan man i den betalte app Star Walkkan du vippe skærmen, så den peger på den del af nattehimlen, du er interesseret i - Star Walk afslører stjernebillederne baseret på den retning, iPad mini peger.

HAR JEG VIRKELIG LIGE BRUGT 100 DOLLARS PÅ EMOJIS?

Grunden til, at du betalte 100 dollars for en iPad mini, der er kraftigere end mange computere, var for at kunne sende søde emojis i dine sms'er, ikke? Okay... måske ikke! Men tastaturet, og dermed emojis, er noget, du bruger meget med din iPad, så det er værd at lære mere om det, før du graver dybere ned i den software, der er afhængig af dem.

Hver gang du skriver en besked, dukker tastaturet automatisk op. Der er ingen ekstra trin. Men der er nogle ting, du kan gøre med tastaturet for at gøre det mere personligt.

Der er et par ting, du skal lægge mærke til på tastaturet - delete-tasten er markeret med et lille 'x' (den er lige ved siden af bogstavet M), og shift-tasten er tasten med den opadgående pil (ved siden af bogstavet Z).

Som standard vil det første bogstav, du skriver, være stort. Du kan dog hurtigt se, hvilken kasus bogstaverne er i.

For at bruge shift-tasten skal du bare trykke på den og derefter trykke på det bogstav, du vil skrive med stort, eller det alternative tegnsætningstegn, du vil bruge. Alternativt kan du trykke på shift-tasten og trække fingeren hen til det bogstav, du vil skrive med stort. Dobbelttryk på shift-tasten for at aktivere caps lock (dvs. at alt er stort), og tryk én gang for at afslutte caps lock.

SÆRLIGE TEGN

For at skrive specialtegn skal du bare trykke og holde på tasten for det tilhørende bogstav, indtil mulighederne dukker op. Træk fingeren hen til det tegn, du vil bruge, og så er du i gang. Hvad er det lige, du vil bruge det til? Lad os sige, at du skriver noget på spansk og har brug for accenten på "e"; ved at trykke og holde på "e" kommer den mulighed frem.

BRUG AF DIKTAFON

Lad os se det i øjnene: At skrive på tastaturet stinker nogle gange! Ville det ikke være nemmere bare at sige, hvad du vil skrive? Hvis det lyder som dig, så kan Dictation hjælpe dig! Bare tryk på mikrofonen ved siden af mellemrumstasten, og begynd at tale. Det fungerer ret godt.

TASTATURER TIL TAL OG SYMBOLER

Selvfølgelig er der mere i livet end bogstaver og udråbstegn. Hvis du har brug for at bruge tal, skal du trykke på 123-tasten i nederste venstre hjørne. Det åbner et andet tastatur med tal og tegnsætning.

Fra dette tastatur kan du komme tilbage til alfabetet ved at trykke på ABC-tasten i nederste venstre hjørne. Du kan også få adgang til et ekstra tastatur, som indeholder de resterende standard-symboler, ved at trykke på #+--tasten lige over ABC-tasten.

EMOJI TASTATUR

Og endelig det øjeblik, du har ventet på! Emojis!

Emoji-tastaturet er tilgængeligt via smiley-tasten mellem 123-tasten og diktat-tasten. Emojis er små tegneseriebilleder, som du kan bruge til at pifte dine tekstbeskeder eller andet skriftligt output op med. Det er langt mere end tidligere tiders kolon-baserede humørikoner - der er nok emojis på din iPad mini til at skabe et helt visuelt ordforråd.

For at bruge emoji-tastaturet skal du bemærke, at der er kategorier i bunden (og at globusikonet længst til venstre sender dig tilbage til sprogver-denen). Inden for disse kategorier er der flere skærmbilleder med piktogrammer at vælge imellem. Mange af de menneskelige emojis omfatter multikulturelle variationer. Bare tryk og hold på dem for at se andre muligheder.

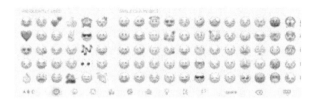

FLERSPROGET INDTASTNING

De fleste mennesker er sikkert klar. De ved alt, hvad de behøver at vide om at skrive på iPad, og de er klar til at sende emojis efter deres venner. Der er et par andre funktioner, der gælder for nogle (ikke alle)

En af disse funktioner er Multilingual Typing. Den er til folk, der skriver på flere sprog på samme tid. Så hvis du skriver mellem spansk og engelsk, får du ikke hele tiden en besked om, at du har stavet forkert.

Hvis det lyder som dig, skal du bare aktivere en anden ordbog, hvilket er enkelt. Gå til Indstillinger > Generelt > Ordbog.

KONFIGURATION AF INTERNATIONALE TASTATURER

Hvis du ofte skriver på et andet sprog, kan det være en god idé at indstille internationale tastaturer. For at konfigurere internationale tastaturer skal du gå til Indstillinger > Generelt > Tastatur > Tastaturer. Du kan derefter tilføje et passende internationalt tastatur ved at trykke på Tilføj nyt tastatur. For eksempel har iPad mini god understøttelse af kinesisk tekstindtastning - vælg mellem pinyin, streg, zhuyin og håndskrift, hvor du faktisk selv tegner tegnet.

Når du aktiverer et andet tastatur, ændres smiley-emoji-tasten til et globusikon. For at bruge internationale tastaturer skal du trykke på globustasten for at bladre gennem dine tastaturvalg.

Din iPad mini er fyldt med funktioner, der hjælper med at forhindre fejl, herunder Apples gennemtestede autokorrekturfunktion, som beskytter mod almindelige stavefejl. I iOS 8 introducerede Apple en prædiktiv tekstfunktion, der forudsiger, hvilke ord du sandsynligvis vil skrive, og dens nøjagtighed er endnu bedre i det nye iPadOS.

Tre valgmuligheder vises lige over tastaturet - det indtastede plus to bedste gæt. Prædiktiv tekst er også noget kontekstspecifik. Den lærer dine talemønstre, når du sender en e-mail til din chef eller en sms til din bedste ven, og den kommer med passende forslag baseret på, hvem du sender beskeder eller e-mails til. Hvis det generer dig, kan du selvfølgelig slå det fra ved at gå til Indstillinger > Generelt > Tastaturer og slå prædiktiv tekst fra ved at skubbe den grønne skyder til venstre.

[3]
DET GRUNDLÆGGENDE

VELKOMMEN HJEM

Der er én ting, som stort set har været den samme, siden den allerførste iPad blev lanceret: Startskærmen. Udseendet har udviklet sig (og docken i bunden har ændret sig en smule), men det har layoutet ikke. Det eneste, du behøver at vide om den, er, at det er hovedskærmen. Så når du hører mig sige "gå til startskærmen", er det den skærm, jeg taler om. Giver det mening?

DOCKEN

Docken er den nederste del af din startskærm.

Det er her, du kan "docke" de apps, du elsker og bruger mest. Hvis du har brugt en ældre iPad eller iPhone, ved du sikkert alt om det. Men denne dock er lidt anderledes.

Se på ovenstående skærmbillede. Se nu til højre. Kan du se den linje? Hvis ikke, så se på den nedenfor:

De apps, der står til højre for den linje, er ikke lagt der af dig. Det er de sidste tre apps, du har brugt. Så de vil altid ændre sig. Det hjælper dig med at multitaske meget hurtigere.

App-bibliotek

Hvis du har brugt din iPad eller iPhone længe nok, har du sikkert haft et organisationsproblem på et eller andet tidspunkt. Det er nemt at blive forelsket i apps, og inden længe har man dusinvis - hvis ikke hundredvis - af dem!

Det er alt sammen meget godt... indtil du skal finde dem! iPad løser dette problem med App Library. Med App Library kan du skjule ikoner for apps, du ikke bruger så ofte. Så de er stadig installeret, men de fylder ikke på din skærm.

Du finder app-biblioteket ved at swipe til venstre, indtil du når den sidste skærm. Ikonerne er grupperet sammen, så du lettere kan finde dem, men du kan også søge efter dem i søgefeltet. Husk også, at dette er alle dine apps - også dem, du ikke har skjult.

Der er også et App Library-ikon i din Dock. Tryk på det, og det udvides til alle dine apps.

Det er alt sammen fint, men hvordan skjuler man egentlig apps? Det er ikke så forskelligt fra at slette apps. Først skal du trykke og holde på din skærm, indtil der vises et minus-ikon på dine ikoner (tip: dette gælder kun ikoner, der IKKE er i din Dock - dem i din Dock fjernes kun fra din Dock, hvis du trykker på det).

Når du trykker på appen, bliver du spurgt, om du vil "slette appen" eller "fjerne den fra startskærmen". Du skal vælge "Fjern fra startskærm", da det fjerner appen helt fra din enhed. Når du har gjort det, er den væk! Den befinder sig nu i app-biblioteket. For at få den tilbage skal du gå til app-biblioteket og trække den ud igen.

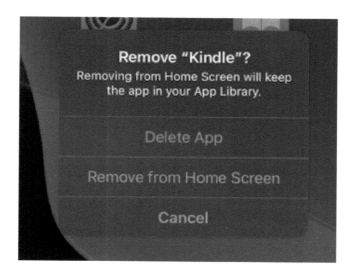

Hvis du hurtigt vil skjule en hel skærm, skal du trykke og holde på skærmen og derefter trykke på de to prikker i bunden.

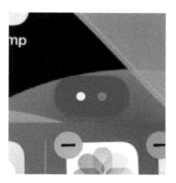

Du kan fjerne markeringen på alle de skærme, du vil skjule - men du er nødt til at holde én skærm skjult.

Du kan også fjerne hele siden, hvilket vil placere alle apps i app-biblioteket.

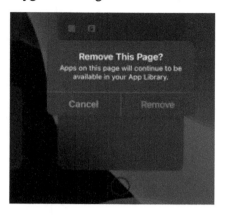

LÅSESKÆRM

På et tidspunkt får du sikkert lyst til at ændre låseskærmen for at gøre den mere personlig. Det er meget enkelt at gøre, og der er masser af muligheder og tilpasninger.

Start med at trykke og holde på låseskærmen. Det vil bringe en mulighed frem, der ser ud som nedenstående. Tryk på det store +.

Dernæst vil du se alle mulige variationer af lås-eskærme: fra færdigbyggede til brugerdefinerede fotos.

Når du har fundet den, du vil have, kan du tilføje widgets til den.

Tryk inde i en af widgetboksene, og du vil se
masser af forskellige muligheder at vælge imellem.

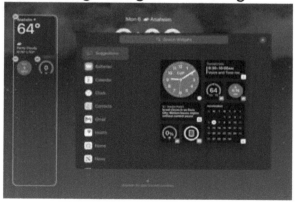

Du kan også trykke inde i Time for at ændre
stilen for, hvordan den vises.

Når du er tilfreds med alle ændringerne, skal du trykke på Tilføj.

AT FORETAGE OPKALD

Din iPad mini er en fantastisk telefon.

Du læste rigtigt! Ud over tusindvis af andre ting kan din iPad mini foretage telefonopkald. Det gør den på to måder:

Over Wi-Fi med FaceTime Audio

Med din iPhone

Der er en række måder, du kan foretage opkald på:

- Hvis du er på en hjemmeside eller et kort, og der er et telefonnummer med et hyperlink, betyder det, at du kan trykke på det, og det vil ringe op til nummeret. Bemærk: For at gøre dette skal du have en iPhone koblet til din iPad mini. Opkaldet vil komme fra din iPhones telefonnummer.

- Hvis nogen sender dig en iMessage på din iPad (vi gennemgår iMessage senere i dette kapitel), kan du trykke på det navn og derefter på FaceTime Audio; opkaldet vil blive foretaget med FaceTime Audio.

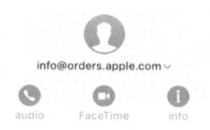

- Appen Kontakter appen har en liste over alle dine kontakter (deraf appens navn!); enhver kontakt, der har en iPhone, som er knyttet til den givne e-mail, vil have en FaceTime Audio - eller, hvis din iPhone er bundet til din iPad mini, en mulighed for at ringe direkte til dem.

At modtage et opkald er ret intuitivt. Hvis din iPad mini er forbundet med din iPhone, og telefonen er inden for rækkevidde af iPad mini, så kommer opkaldet også til din iPad mini. Stryg for at svare. Og det er det.

FaceTime

Hvordan holder man mennesker sammen, når de er adskilt? Det er noget, Apple har tænkt meget over. FaceTime på iPad ser bedre ud end nogensinde.

For at komme i gang skal du åbne FaceTime-appen; du har to muligheder: Opret link eller Nyt FaceTime-opkald.

Knappen Opret link giver dig et delbart link, som du kan give til andre. Det virkelig fede ved det er, at det kan deles med folk, der ikke har iPhones - så de kan åbne det i Chrome på en Windows-computer.

Hvis du foretrækker at ringe direkte til nogen, skal du trykke på den grønne New FaceTime-knap og indtaste deres navn.

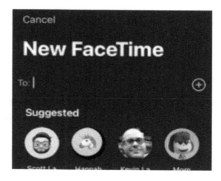

Forhåndsvisningsboksen er i nederste hjørne, men den kan flyttes hvor som helst på skærmen ved at trykke og holde på den og derefter trække.

Hvis du gør denne preview-boks større, har du flere muligheder. I øverste venstre hjørne har du et lille billedikon - det gør din baggrund sløret eller ikke sløret. Nederst til højre kan du vende kameraet fra forside til bagside. Ikonet nederst i midten slår Center Stage til og fra. Center Stage er en funktion, der findes på nyere iPads; den følger dig, når du bevæger dig, så hvis du bevæger dig en lille smule, panorerer kameraet for at følge dig. Det

nederste venstre hjørne viser effekter, du kan tilfø-
je.

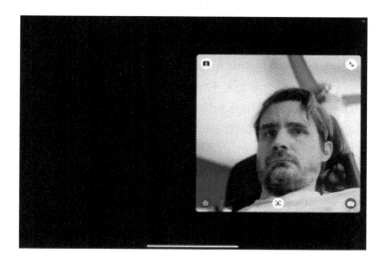

Effekter kan flyttes rundt ved at trykke og holde
eller forstørres ved at klemme på dem.

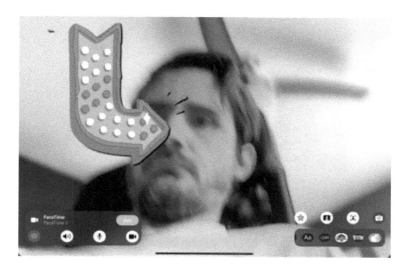

Når du trykker på skærmen, får du også en flydende boks med flere kontroller. Hvis du ikke har startet opkaldet endnu, f.eks. hvis nogen ringer til dig på FaceTime, skal du acceptere det og derefter trykke på Join-knappen; hvis du er i gang med opkaldet, bliver denne knap til en leave-knap - tryk på den for at lægge på. Fra venstre mod højre er de andre knapper Beskeder for at sende en besked til alle i samtalen, Højttaler, hvis du vil overføre lyden til noget som en HomePod, Mikrofon, hvis du vil slukke for din mikrofon, så de ikke kan høre dig, og Kamera, hvor du slukker for din video - de kan høre dig, men ikke se dig.

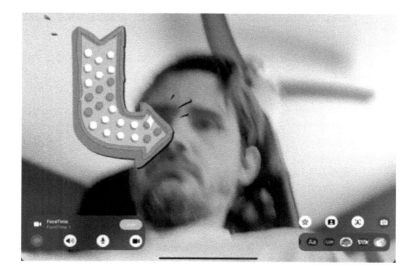

DET ER DER EN APP TIL

App er en forkortelse for applikation. Så når du hører udtrykket "There's an app for that", betyder det bare, at der er et program, der gør det, du gerne vil gøre. Hvis du er Windows-bruger, er alle de ting, du altid åbner (som Word og Excel), apps. Apple har bogstaveligt talt millioner af apps. At åbne en app er så simpelt som at røre ved den.

I modsætning til apps på en computer behøver du ikke at lukke apps på din iPad. Det hele sker automatisk. For de fleste apps husker den endda, hvor du var, så når du åbner den igen, er den gemt.

ORGANISERINGS-APPS

Hvis du er ligesom mig - og det er de fleste mennesker - elsker du dine apps, og du har mange af dem! Så du bliver nødt til at vide, hvordan du flytter rundt på dem, lægger dem i mapper og sletter dem. Det er alt sammen nemt at gøre.

Startskærmen er måske den første skærm, du ser, men hvis du swiper til højre, vil du se, at der er flere. Personligt har jeg de mest brugte apps på den første skærm, og de mindre brugte apps i mapper på den anden. I den nederste dock placerer jeg de apps, jeg bruger hele tiden (som Mail og Safari).

For at omarrangere apps skal du tage din finger og røre ved en af dine apps og holde den der, indtil ikonet ryster. Når appene ryster på den måde, kan du røre ved dem uden at åbne dem og trække dem rundt på skærmen. Prøv det! Bare rør ved en app, og træk fingeren for at flytte den. Når du har fundet det perfekte sted, løfter du fingeren, og appen falder på plads. Når du har downloadet flere apps, kan du også trække apps på tværs af startskærme.

Du kan slette en app ved at bruge samme metode som til at flytte dem. Den eneste forskel er, at i stedet for at flytte dem, skal du trykke på 'x' i øverste venstre hjørne af ikonet. Du skal ikke bekymre dig om at slette noget ved et uheld. Apps er gemt i skyen. Du kan slette og installere dem lige så mange gange, du vil; du behøver ikke at betale igen - du skal bare downloade dem igen.

Det er nyttigt at placere apps på forskellige skærme, men hvis du vil være rigtig organiseret, skal du bruge mapper. Du kan f.eks. have en mappe til alle dine spil-apps, finans-apps, sociale apps, eller hvad du nu har lyst til. Du vælger selv, hvad den skal hedde. Hvis du vil have en mappe med "Apps, jeg bruger på toilettet", så kan du sagtens få den!

For at oprette en mappe skal du bare trække en app over en anden app, som du gerne vil tilføje til mappen.

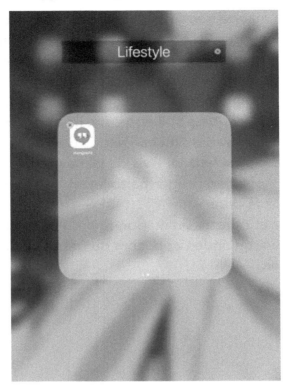

Når de er samlet, kan du navngive mappen. For at slette mappen skal du bare sætte mappens apps i "jiggle mode" og trække dem ud af mappen. iPad mini tillader ikke tomme mapper - når en mappe er tom, sletter iPad mini den automatisk.

BESKEDER

Flere og flere tabletbrugere holder kontakten via sms'er i stedet for telefonopkald, og iPad mini gør det nemt at holde kontakten med alle. Du kan også bruge iMessage til at interagere med andre

Apple-brugere. Med denne funktion kan du sende instant messages til alle, der er logget på en Mac med OS X Mountain Lion eller nyere, eller en iOS-enhed med iOS 5 eller nyere. iMessage til iPadOS er blevet fuldstændig ændret for at gøre det hele lidt mere... animeret.

På hovedskærmen Beskeder kan du se de mange forskellige samtaler, du har kørende. Du kan også slette samtaler ved at swipe fra højre mod venstre på den samtale, du ønsker, og trykke på den røde Slet-knap. Nye samtaler eller eksisterende samtaler med nye beskeder vil blive fremhævet med en stor blå prik ved siden af, og Beskeder-ikonet vil have et badge, der viser antallet af ulæste beskeder, du har, ligesom Mail- og iPhone-ikonerne.

For at oprette en besked skal du klikke på ikonet Beskeder og derefter på knappen Skriv i øverste højre hjørne.

Når dialogboksen med den nye besked dukker op, skal du klikke på plusknappen (+) for at vælge fra din kontaktliste eller bare skrive telefonnummeret på den person, du vil sende en besked til. For gruppebeskeder skal du bare fortsætte med at tilføje så mange personer, som du vil. Klik til sidst på det nederste felt for at begynde at skrive din besked.

iMessage har fået en masse nye funktioner i løbet af de sidste par år. Hvis du bare vil sende en besked, skal du bare trykke på den blå pil op.

Men du kan gøre så meget mere end bare at sende en besked! (Bemærk, at hvis du sender en besked med nyere funktioner til en person med et ældre operativsystem eller en ikke-Apple-enhed, vil den ikke se ud, som den gør på din skærm).

Øverst på denne skærm vil du også se to faner; på den ene står der "Bubble" og på den anden "Screen"; hvis du trykker på Screen, kan du tilføje animationer til hele skærmen. Swipe til højre og venstre for at se hver ny animation.

Når du får en besked, som du kan lide, og du vil reagere på den, kan du trykke og holde fingeren over beskeden eller billedet; så kommer der forskellige måder, du kan reagere på, frem.

Når du har truffet dit valg, kan modtageren se, hvordan du har reageret.

Hvis du gerne vil tilføje en animation, et foto, en video eller meget andet, så lad os se på mulighederne ved siden af beskeden.

Du har tre valgmuligheder - som giver endnu flere muligheder! Den første er kameraet, som lader dig sende billeder med din besked (eller tage nye billeder - bemærk, at disse billeder ikke bliver gemt på din iPad mini), den næste lader dig bruge iMessage apps (mere om det om lidt), og den sidste lader dig optage en besked med din stemme.

Lad os se på kameraindstillingen først.

Hvis du vil tage et originalt foto, skal du trykke på den runde knap nederst. Hvis du vil tilføje effekter, skal du trykke på stjernen i nederste venstre hjørne.

Hvis du trykker på effekter, får du alle de forskellige effekter frem. Jeg vil snart tale mere om Animoji, men som et eksempel lader denne app dig sætte en Animoji over dit ansigt (se eksemplet ne-denfor - ikke dårligt for et forfatterfoto, hva?!)

Endelig er den sidste mulighed apps. Du burde vide alt om iPad mini-apps nu, men nu er der et nyt sæt apps kaldet iMessage apps. Med disse apps kan du være både fjollet (sende digitale klister-mærker) og seriøs (sende kontanter til nogen via sms). For at komme i gang skal du trykke på knappen '+' for at åbne iMessage App Butik.

Du kan gennemse alle apps, ligesom du ville gøre i den almindelige App Store. At installere dem er også det samme.

Når du er klar til at bruge appen, skal du bare trykke på apps, trykke på den app, du vil indlæse, og trykke på det, du vil sende. Du kan også trække klistermærker oven på beskeder. Bare tryk, hold og træk.

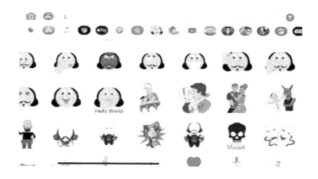

I app-sektionen er der også en knap, der hedder #images.

Hvis du trykker på denne knap, kan du søge efter tusindvis af humoristiske memes og animerede GIF'er. Bare tryk på den, og søg på det udtryk, du vil finde - f.eks. "Money" eller "Fight".

En sidste iMessage funktion, der er værd at prøve, er den personlige håndskrevne note. Tryk på en ny besked, som om du vil begynde at skrive en ny besked; drej nu din tablet vandret. Nu får du mulighed for at bruge din finger til at lave en håndskrevet note. Skriv løs, og tryk derefter på færdig, når du er færdig.

TAGGING AF BESKEDER

Hvis du har brugt messaging-programmer som Slack, kender du sikkert alt for godt til at tagge nogen i en samtale. Tagging får personens opmærksomhed og starter en ny tråd i samtalen.

Så hvis du er i en stor sms-udveksling, kan alle læse det, når du tagger nogen, men alle får ikke besked. Så det er lidt mindre påtrængende.

Hvis du vil tagge nogen i en samtale, skal du bare sætte et @ foran deres navn, når du svarer.

Hvis du vil svare in-line på en besked, skal du trykke længe på beskeden. Med in-line mener jeg dette: Lad os sige, at der er en besked flere tekster oppe - du kan trykke længe for at svare på den, så de ved, hvilken besked du henviser til.

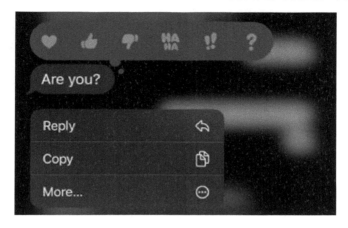

Når du trykker på Reply, svarer du bare, som du plejer.

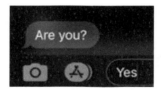

Dette vil advare personen, og de vil se beske-den med en svarmeddelelse under beskeden.

Hvis det er flere tekster over, vil de også se det som nedenstående besked.

AFSEND BESKEDER

Lad os være ærlige: Vi har alle sendt en sms, som vi har fortrudt. Du kan afmelde eller redigere disse tekster. Bare tryk på beskeden og hold den nede (du skal gøre det relativt hurtigt - hvis der går for lang tid, forsvinder muligheden), og vælg så enten Fortryd afsendelse eller Rediger.

Hvis du tror, at det får dig ud af hundehuset, og at du kan sige: "Det har jeg aldrig sagt!" Tænk om igen! Personen i den anden ende af sms'en vil se, at beskeden ikke er sendt eller er blevet redigeret.

FASTGØRELSE AF MEDDELELSER

Hvis du skriver mange sms'er, kan det godt blive lidt besværligt at svare. Den måde, Messages fungerer, er de seneste samtaler øverst. Det fungerer for det meste godt, men du kan også fastgøre favoritter til toppen.

I eksemplet nedenfor er min kone fastgjort til toppen af samtalerne. Selv om andre har skrevet til mig for nylig, vil hun altid være deroppe (medmindre jeg fjerner hende). Det gør det nemt at svare.

For at tilføje eller fjerne nogen fra toppen skal du trykke på knappen Rediger i øverste venstre hjørne og derefter vælge Rediger pins (eller swipe til højre over deres besked).

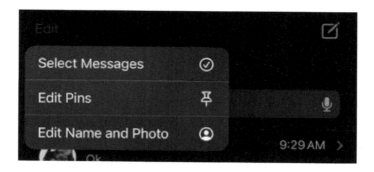

Hvis du vil fjerne dem, skal du trykke på minusikonet over deres foto (i øverste venstre hjørne); hvis du vil tilføje dem, skal du trykke på det gule pin-ikon.

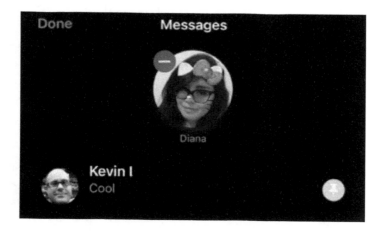

Du kan have flere personer fastgjort til toppen. Personligt synes jeg, at tre er godt, men du kan tilføje endnu flere.

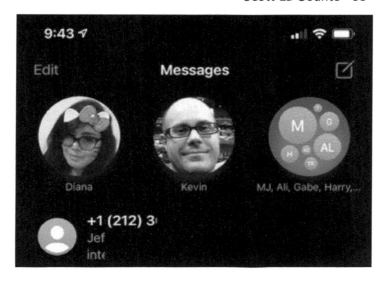

FOTOS I BESKEDER

Beskeder organiserer fotos, der sendes i grupper på to eller tre, lodret.

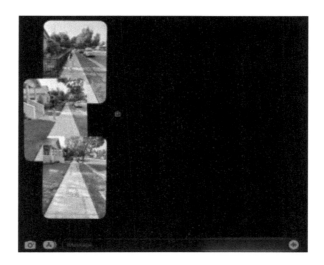

Hvis du sender mere end tre fotos på én gang, stables de sammen, og du kan skifte mellem dem ved at stryge over billedet til venstre eller højre.

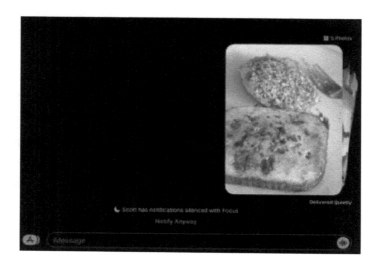

PLACERING OG MERE

Den lille +-knap ved siden af meddelelsesfeltet viser alle meddelelsesmulighederne. Hvis du f.eks. vil dele din placering med nogen, skal du bare trykke på Placering.

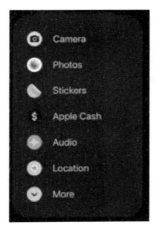

KLISTERMÆRKER

Lagde du mærke til muligheden for klistermærker på billedet ovenfor? Den er ret cool. Du kan bruge dine fotos til at lave dine egne klistermærker.

For at komme i gang skal du åbne et foto. Tryk og hold over det, du vil lave et klistermærke af. I eksemplet nedenfor vil jeg lave et af min hund. Kan du se, hvordan den automatisk fremhæver motivet på billedet? Tryk derefter på Tilføj klistermærke.

Herfra kan du ikke gøre noget, eller du kan trykke på Tilføj effekt.

Med Add Effect kan du sætte enten en kant eller en anden effekt på dit klistermærke.

Du kan nu gå tilbage til beskeder og trykke på +-knappen ved siden af beskedfeltet; du kan trække dit klistermærke ind i en besked.

SØGNING EFTER MEDDELELSER

Det er ret enkelt at søge efter beskeder på iPad. Bare skriv, hvad du vil finde. Det, der gør det til en så problemfri oplevelse, er, at den grupperer resultaterne. Så alle fotos, noter, kort osv. vil være samlet.

MEDDELELSER

Når du har låst din tablet, vil du på et tidspunkt begynde at se notifikationer, der fortæller dig ting som "Du har en ny e-mail", "Glem ikke at sætte din alarm" osv.

Så når du ser alle dine notifikationer på din låseskærm, vil de være organiseret efter, hvad de er. Hvis du vil se alle notifikationer fra en kategori, skal du bare trykke på den.

Er du ikke fan af gruppering? Det er ikke noget problem. Du kan slå det fra for alle apps. Gå til Indstillinger, derefter Notifikationerog tryk derefter på den app, du vil slå gruppering fra for. Under Notifikationsgrupperinger skal du bare slå automatisk fra.

BRUG AF AIRDROP

AirDrop blev introduceret i iOS 7, men Applefans har sandsynligvis brugt Mac OS-versionen på MacBooks og iMacs. I Mac OSX Sierra og Yosemite vil du endelig kunne dele mellem iPadOS og din Mac ved hjælp af AirDrop.

AirDrop er Apples fildelingstjeneste, og den er standard på iPadOS 16-enheder. Du kan aktivere AirDrop fra Share-ikonet hvor som helst i iPadOS 16. Hvis andre AirDrop-brugere er i nærheden, kan du se alt, hvad de deler i AirDrop, og de kan se alt, hvad du deler.

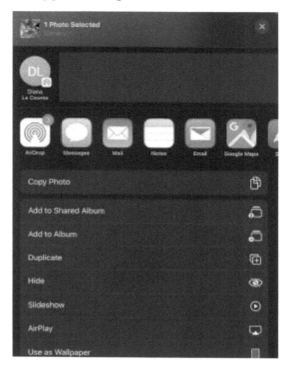

MULTITASKING

Multitasking er muligheden for at have mere end to apps kørende på samme tid.

Når du har en enkelt app kørende, kan du så se de tre prikker? Det er din multitask-menu. Den er der, uanset om du bruger funktionen eller ej. Tryk på den, så udvides den og viser, at du enten kan skifte fra multitask til fuld skærm, have to apps side om side eller have et multitask-vindue, der glider over hinanden (hvor den ene vises over den anden).

Når du bruger multitask og klikker på den menu, skal du se, hvad der sker i bunden: Der vises et multitask-vindue. Det giver dig mulighed for hurtigt at skifte mellem multitask-apps.

I eksemplet nedenfor har jeg to multitask-vinduer, som jeg kan skifte mellem. Hvis jeg vil tilføje et nyt, trykker jeg på New Window.

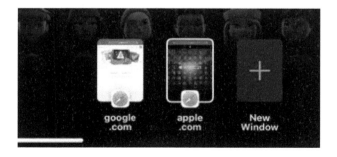

For at lukke vinduer skal du bare stryge op over det miniaturebillede, du vil lukke.

SCENEMESTER

Stage manager er en måde at multitaske mellem apps på. Typisk har man en app åben, og når man vil videre til den næste app, skal man ud af appen, finde appen og åbne den.

Når Stage Manager er slået til, ser det ud som på billedet nedenfor.

Med miniaturebillederne kan du hurtigt skifte mellem de apps, du har åbne.

Gå til kontrolcenteret i øverste højre hjørne af skærmen for at tænde det.

Tryk på den igen for at slå den fra. Når du trykker på den igen, får du også mulighed for at vælge, hvordan du vil sortere apps.

Du kan også bruge den vandret.

BILLEDE I BILLEDE

Mens en video afspilles (eller under et FaceTime videoopkald), skal du trykke på Home-knappen, så videoen skaleres ned til et hjørne af din skærm. Du kan også knibe den sammen med tre fingre for at formindske den.

Når den er skrumpet, kan du flytte den rundt på skærmen til et af de fire hjørner.

Hvis du vil lukke videoen, skal du trykke på 'x'; hvis du vil forstørre den, skal du trykke på knappen længst til venstre; og hvis du vil afspille den i en anden app, skal du bare åbne en hvilken som helst app.

[4]
LIDT MERE END GRUNDLÆGGENDE

POST

Med iPad mini kan du tilføje flere e-mailadresser fra stort set enhver e-mailklient, du kan komme i tanke om. Yahoo, Gmail, AOL, Exchange, Hotmail og mange flere kan føjes til din iPad mini, så du kan tjekke din e-mail, uanset hvor du er. For at tilføje en e-mailadresse skal du klikke på ikonet for appen Indstillinger og derefter scrolle til midten, hvor du kan se Mail, Contacts og Kalender. Du vil så se logoer for de største e-mailudbydere, men hvis du har en anden type e-mail, skal du bare klikke på Andet og fortsætte.

Hvis du ikke kender dine e-mailindstillinger, skal du besøge siden Mail Settings Lookup på Apples hjemmeside. Der kan du indtaste hele din e-mailadresse, og hjemmesiden vil vise dig, hvilke oplysninger du skal indtaste og hvor for at få din e-mailkonto til at fungere på tabletten. Indstillingerne ændrer sig hos alle, så det, der virker hos én udbyder, virker måske ikke hos en anden. Når du er færdig med at tilføje så mange e-mailkonti, som du har brug for, kan du klikke på Mail-app-ikonet på din tablets startskærm og se hver indbakke for sig eller alle på én gang.

Hvis du bruger Apples Mail-app, er her et par funktioner, du bør kende til.

AFSEND BESKED

Hvis du har sendt en besked ved en fejl, kan du afmelde den... på en måde. Forbeholdet er, at du skal gøre det inden for ti sekunder. Så det er ikke for at afmelde den forfærdelige besked til din chef, som du sendte i sidste uge og nu fortryder! Målet er bare at afmelde ting, du har sendt ved en fejl - som at du har glemt at vedhæfte noget.

For at bruge den skal du trykke på den blå knap nederst i din indbakke, der vises, når du har sendt den. Kan du ikke se den? Det betyder desværre, at dit vindue er overskredet, og at det er for sent. Hvis du når at gøre det i tide, går e-mailen tilbage til skrivetilstanden.

PLANLÆG MAIL

Der er sikkert mange gange, hvor du gerne vil lave et udkast til en e-mail, men ikke sende den med det samme. Når jeg underviser, planlægger jeg f.eks. e-mails til at blive sendt på dagen for undervisningen; på den måde er de klar til brug og bliver automatisk udløst på dagen for undervisningen.

For at gøre dette skal du skrive e-mailen, som du normalt ville, men i stedet for at trykke på den blå pil for at sende, skal du trykke længe på den (dvs. holde den nede); det vil få en mulighed frem, der spørger, hvornår du vil sende den. Vælg, og tryk derefter på Udført.

PÅMINDELSE VIA E-MAIL

Hvis du ønsker at blive mindet om en e-mail senere på ugen, skal du åbne e-mailen og vælge svar-knappen. Det giver dig flere muligheder. Den ene er Påmind mig.

SURFING PÅ INTERNETTET MED SAFARI

Du har allerede set, hvordan adresselinjen fungerer. Hvis du vil søge efter noget, bruger du præcis den samme boks. Det er sådan, du kan søge efter alt på internettet. Tænk på det som en Google-, Bing- eller Yahoo! søgemaskine i hjørnet af din skærm. Det er faktisk præcis, hvad det er.

For når du søger, vil den bruge en af disse søge-
maskiner til at finde resultater.

Hvis du har brugt Safari før, kommer den
sandsynligvis til at se lidt anderledes ud for dig. I
2021 gav Apple Safari en ansigtsløftning for at
gøre den endnu mere ressourcefuld. Det er fan-
tastisk på iPad, men endnu bedre, når du har et
helt økosystem af enheder.

Lad os se nærmere på browserens anatomi, og
så vil jeg forklare, hvordan den fungerer.

Den øverste værktøjslinje ser ret bar ud. Men
udseendet kan snyde, for der er meget her. Længst
til venstre er sidemenuknappen, som åbner dine
gemte faner (mere om det senere), privat vis-
ningstilstand, historik og meget mere; i midten kan
du enten skrive eller søge efter hjemmesiden
(mikrofonen lader dig sige det i stedet for at skrive
det), og endelig lader Plus-knappen dig åbne en ny
fane.

Faneblade ser ikke ud som faneblade på iPad. I
eksemplet nedenfor er der tre åbne faner. Den
midterste er den åbnede hjemmeside, de to min-
dre (Startsiden og Amazon) er de åbnede, ikke-ak-
tive faner.

Der er flere måder at lukke et faneblad på. Den ene er at trykke på X'et ved siden af hjemmesidens navn (dette er kun på den aktive fane); den anden måde er at trykke og holde fingeren på fanen og derefter vælge fane; og den sidste måde er at trykke og holde Plus-knappen nede og derefter vælge at lukke fanen.

Når du trykker på Plus-knappen og holder den nede, ser du også et par andre muligheder. Den ene er Åbn nyt vindue, som åbner et nyt Safari-multitask-vindue ved siden af det aktuelle vindue - så du har to browsere åbne på samme tid. Der er også en mulighed for en ny privat fane, hvor man kan søge på nettet uden at gemme sin historik - det er godt til gaveindkøb, hvis man deler en enhed.

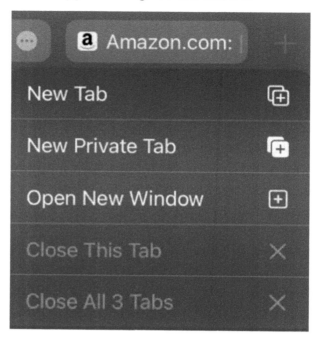

HJEMMESIDE-MULIGHEDER

Når du klikker på de tre prikker på den side, du er ved at besøge, får du flere valgmuligheder. Det er her, du skal hen, hvis du vil føje siden til dine bogmærker eller til dine favoritter (favoritter vises, når du starter Safari, efter at den har været lukket - det kaldes din "startside"). Du kan også dele siden med nogen, ændre tekststørrelsen og se en privatlivsrapport. Privacy Report viser alle trackere på en side, så du ved, hvilke oplysninger en virksomhed indsamler om dig.

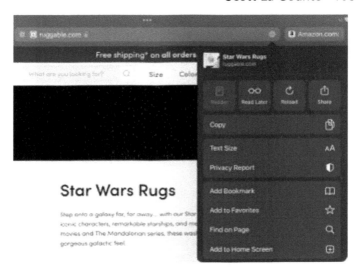

MENUINDSTILLINGER

Længst til venstre er der mulighed for at få menuruden frem. Menuen kan vises, mens du browser, eller du kan skjule den, når du har fundet det, du leder efter.

Der er et par ting, du kan gøre her. Den første er Gruppefaner; der er meget ved Gruppefaner, så jeg gennemgår det i næste afsnit. Startside er din hjemmeside; Privat gør din browser til en privat websurfing-oplevelse, hvor din webhistorik og dine adgangskoder ikke gemmes.

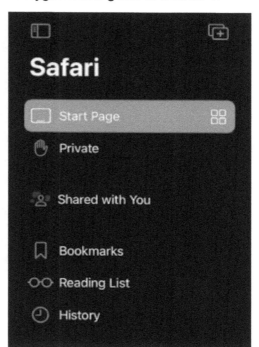

DELT MED DIG

Shared With You er der, hvor du kan se ting, der er blevet delt for nylig. Som et eksempel: Min kone og jeg deler mange links via sms. Når hun sender et, dukker de automatisk op her. På den måde behøver jeg ikke at søge gennem snesevis af sms'er for at finde den side, hun nævnte - den er allerede gemt.

Hvis du vil fjerne linket, skal du trykke og holde fingeren på sideeksemplet. Det giver flere mu-ligheder - en af dem er fjern. Du kan også bruge mulighederne her til at svare på beskeden, åbne i baggrunden eller kopiere linket.

SAFARI-BOGMÆRKER

Under Shared With You er bogmærkerne; Bog-
mærker er sider, du gemmer, fordi du jævnligt går
ind på dem. Når du begynder at få mange bog-
mærker, er det en god idé at lægge dem i organis-
erede mapper.

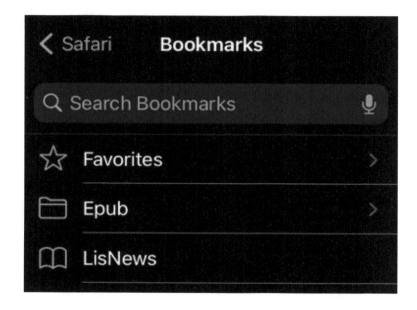

For at oprette en mappe skal du bare gå til
Rediger nederst på siden og derefter vælge Ny
mappe. Når du har valgt Rediger, kan du også
slette bogmærker og flytte dem til mapper.

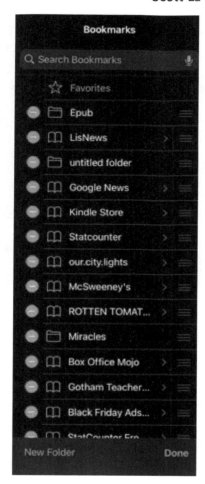

Du kan lægge mapper ind i mapper, når du opretter dem.

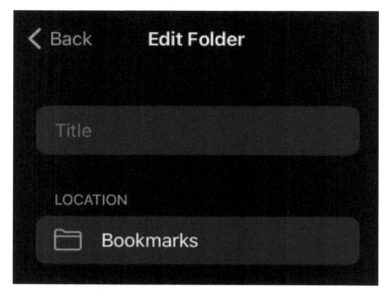

WEBHISTORIE

Hvis du ikke bruger privat tilstand, gemmes al din historik; det er nyttigt, hvis du nogensinde glemmer en hjemmeside, du har besøgt, men du ved, hvilken dag du besøgte den. Hvis du no-gensinde vil rydde din historik, skal du bare trykke på Ryd nederst på siden, når du ser din historik.

FANE GRUPPE

Faneblade kan være din bedste ven. Tab Group er en videreudvikling af denne ven. Fane-grupper er en slags kombination af bogmærker og faner. Du gemmer i princippet alle dine faner i en gruppe. Du kan f.eks. have en gruppe, der hedder "Shopping", og når du klikker på den, åbner alle dine yndlingsshoppingsider som ved et trylleslag som faner.

For at komme i gang skal du åbne alle de faner, du vil have med i din gruppe, gå til menuen til venstre og klikke på +-knappen i sidemenuen og vælge Ny tom fanegruppe.

Skriv navnet på din gruppe. Husk at være beskrivende, så du ved, hvad din Tab-gruppe er til.

Alle fanerne er nu gemt i din gruppe; i eksemplet nedenfor er der to fanegrupper; når jeg skifter mellem dem, åbnes der nye faner.

Du kan foretage ændringer i din gruppe ved at
trykke og holde på den.

Hvis du vil have en ny fane vist der, skal du bare
åbne fanen, mens du er i gruppen, så gemmes den
automatisk i gruppen.

INDSTIL DIN STANDARD-E-MAIL / WEBBROWSER

I en årrække kunne man bruge andre mail- og
webbrowsere i iOS, men man kunne ikke indstille
dem som standard. Det ændrede sig i iOS 14... på

en måde. Du kan nu have alternative standard-browsere og e-mailklienter, men appen skal op-dateres.

Det er udviklernes (ikke Apples) ansvar at op-datere appen, så den kan udnytte denne funktion; så når du prøver at ændre det ved hjælp af neden-stående trin, og du ikke kan se din foretrukne app, er det sandsynligvis, fordi enten de ikke har op-dateret appen endnu, eller du ikke har opdateret appen endnu (gå til App Store og sørg for, at der ikke er en opdatering til appen).

For at ændre din foretrukne app skal du gå til appen Indstillinger. Gå derefter til den app, du vil gøre til standard (jeg bruger Chrome-browseren i eksemplet nedenfor), og tryk derefter på Stan-dardbrowser.

Til sidst skal du afkrydse din foretrukne browser. Den gemmer automatisk.

ITUNES

iTunes app, som du finder på din startskærm, åbner verdens største digitale musikbutik. Du vil kunne købe og downloade ikke bare musik, men også utallige film, tv-serier serier, lydbøger og meget mere. På iTunes-hjemmesiden kan du også finde en What's Hot-sektion, musiksamlinger og nye udgivelser.

Øverst kan du se muligheden for enten at se udvalgte medier eller browse gennem de øverste hitlister. I øverste venstre hjørne finder du knappen Genres. Hvis du klikker på Genrer, får du vist mange forskellige typer musik, som kan hjælpe dig med at præcisere din søgning.

Feature Alert: Når du søger på en sangtekst i iTunes, giver det nu resultater.

APPLE MUSIK

Apple Musik er en relativt ny tjeneste fra Apple, der giver dig mulighed for at streame hele iTunes butikken og modtage kuraterede spillelister fra musikeksperter, der er skræddersyet til dine præferencer. Det koster 9,99 dollars om måneden, men du kan benytte dig af den tre måneders gratis prøveperiode for at se, om tjenesten er noget for dig, før du betaler for den. Den tilbyder også rabat på abonnementer til familier og studerende.

KØB AF APPS

Så hvordan køber, downloader og fjerner man apps? Det vil jeg se på i dette afsnit.

For at købe apps, og jeg mener faktisk ikke at betale for dem, fordi du kan købe en gratis app uden at betale for den, skal du følge følgende:

Det første, du ser, når du åbner App Store er de udvalgte apps. Det vil sige spil, masser og masser af spil! Spil er den bedst sælgende kategori i App

Store, men bare rolig, der er mere end bare spil. Senere i denne håndbog vil jeg fortælle dig om nogle af de vigtige apps, du bør anskaffe dig, men lad os nu se, hvordan App Store fungerer, så du selv kan opdage nogle af dem.

Hvis du hører om en ny app og gerne vil tjekke den ud, kan du bruge søgefunktionen.

Q Search

Når du finder en app, du vil købe, skal du blot trykke på prisknappen og indtaste dit App Store adgangskode. Husk, at bare fordi en app er gratis at downloade, betyder det ikke, at du ikke skal betale noget for at bruge den. Mange apps bruger "in-app purchases", hvilket betyder, at du skal købe noget i appen. Du vil dog blive underrettet, før du køber noget.

Apps kommer konstant med opdateringer som nye, bedre funktioner. Opdateringer er næsten altid gratis, medmindre andet er angivet, og de er nemme at installere. Bare klik på den sidste fane: Opdateringer. Hvis du har en app, der skal opdateres, kan du se det her. Du kan også se, hvad der er nyt i appen. Hvis du ser en, skal du trykke på Opdater for at begynde opdateringen.

Hvis du har købt en app, men ved et uheld har slettet den eller ombestemt dig med hensyn til at slette den, skal du ikke bekymre dig! Du kan down-

loade appen igen samme sted, som du ser opda-
teringerne. Bare tryk på Købt.

Når du trykker på knappen Purchased, ser du to
muligheder: en til at se alle de apps, du har købt,
og en til kun at se de apps, du har købt, men som
ikke er på din iPad mini. Tryk på den, hvor der står
Not on This iPad for at downloade noget igen,
uden at det koster noget. Bare tryk på Cloud-
knappen til højre på skærmen. Du kan endda
downloade det igen, hvis du har købt det på en
anden iPad, så længe det er under den samme
konto.

Det er nemt at slette apps: Tryk og hold på
ikonet for den app, du vil fjerne, på din startskærm,
og tryk derefter på 'x' oven over appen.

KALENDER

Blandt de andre forudinstallerede apps, der ful-
gte med din nye iPad mini, er Kalender måske en af
de mest brugte apps, du vil støde på.. Du kan
skifte mellem at se aftaler, opgaver eller alt i en
visning for en dag, en uge eller en måned.

Kombiner din kalender med e-mailkonti eller
iCloud for at holde dine aftaler og opgaver synkro-
niseret på tværs af alle dine enheder, så du aldrig
går glip af en aftale igen.

Oprettelse af en aftale

For at oprette en aftale skal du klikke på ikonet Kalender ikonet på din startskærm. Klik på den dag, du gerne vil indstille aftalen til, og tryk derefter på '+'-knappen i hjørnet. Her kan du navngive og redigere din begivenhed samt forbinde den til en e-mail- eller iCloud-konto, så den kan synkroniseres. konto for at muliggøre synkronisering.

Når du redigerer din begivenhed, skal du være særlig opmærksom på varigheden af din begiven- hed. Vælg start- og sluttidspunkt, eller vælg "Hele dagen", hvis det er en heldagsbegivenhed. Du har også mulighed for at indstille den som en tilbagevendende begivenhed ved at klikke på Gen- tag og vælge, hvor ofte du vil have den til at gent- age sig. Hvis det f.eks. drejer sig om en regning eller en bilbetaling, kan du enten vælge Månedligt (på denne dag) eller hver 30. dag, hvilket er to forskellige ting. Når du har valgt din gentagelse, kan du også vælge, hvor længe du vil have begivenheden til at gentage sig: i bare en måned, et år, for evigt og alt derimellem.

KORT

Maps appen er tilbage og bedre end nogensinde. Efter at Apple brød med Google Maps for flere år siden, besluttede Apple at udvikle sit eget kort- og navigationssystem til iPad. Resultatet er en smuk rejseguide, der udnytter de nyeste iPad mini-opløsninger fuldt ud. Fuldskærmstilstand gør det muligt at fylde hvert hjørne af tabletten med appen, og der er en automatisk nattilstand. Du kan til enhver tid søge efter steder, restauranter, tankstationer, koncertsale og andre steder i nærheden af dig, og turn-by-turn-navigation er tilgængelig, når du går, cykler, kører i bil eller pendler. Trafikken opdateres i realtid, så hvis der sker en ulykke foran dig, eller der er byggearbejde i gang, vil Maps tilbyde et hurtigere alternativ og advare dig om den potentielle trafikprop.

Turn-by-turn-navigationen er let at forstå uden at være distraherende, og 3D-visningen gør potentielt vanskelige scenarier (som motorvejsafkørsler, der kommer pludseligt) meget mere behagelige. En anden praktisk funktion er muligheden for helt at undgå motorveje og betalingsveje.

For at konfigurere navigation skal du trykke på
ikonet ikonet. Nederst på skærmen er der en
søgning efter sted eller adresse; for hjem skal du
bruge en adresse, men virksomheder skal bare
bruge et navn. Klik på den, og indtast din destina-
tion, når du bliver bedt om det.

Når du finder din destinations adresse, klikker
du på Rute og vælger mellem gå- eller kørevejled-
ning. For virksomheder har du også mulighed for
at læse anmeldelser og ringe direkte til virksomhe-
den.

For håndfri navigation skal du bare sige "Hey
Siri" og sige "Navigate to" eller "Take me to"

efterfulgt af adressen eller navnet på det sted, du gerne vil hen til.

Hvis du gerne vil undgå motorveje eller vejafgifter, skal du blot trykke på knappen Flere muligheder og vælge den ønskede mulighed.

Apple Kort giver dig også mulighed for at se en 3D-visning af tusindvis af steder. For at aktivere denne mulighed skal du trykke på 'i' i øverste højre hjørne. Herefter skal du vælge satellitvisning.

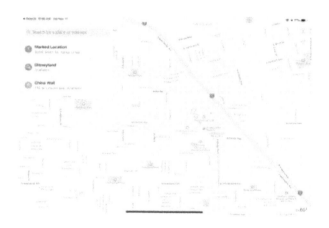

Hvis 3D-visning er tilgængelig, vil du bemærke en ændring med det samme. Du kan bruge to fingre til at gøre dit kort mere eller mindre fladt. Du kan også vælge 2D for helt at fjerne 3D.

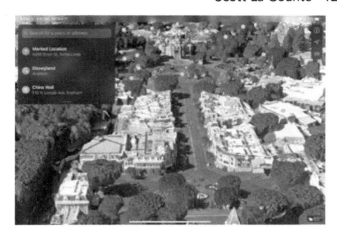

Kort har taget store skridt for at konkurrere mod Google; i 2019 tilføjede de en visning på gadeniveau til større byer som New York og Los Angeles, og flere forventes snart. Når du trykker og holder på en placering, kan du se den som en tilgængelig visning (hvis du ikke kan se den, er den ikke i den pågældende by endnu).

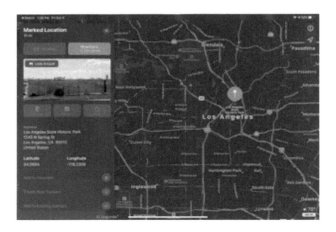

Når du trykker på visningen, bliver den større.

Endelig kan du på samme måde som i iPhone-versionen af Mapskan du på iPad tilføje steder i samlinger, så du kan organisere alle dine yndlingssteder.

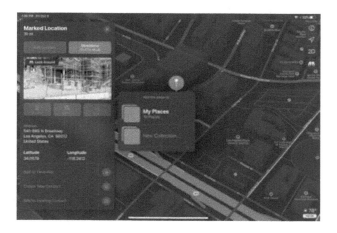

Kort fik en lille opgradering med det, der vises i iPadOS og iOS 15, men det fungerer stadig stort set på samme måde.

Den største forskel med OS 15-opdateringen er, at bygninger nu har mere form. Så i eksemplet nedenfor med en forlystelsespark kan du se formen på slottet og bjerget. Dette er kun tilgængeligt i nogle regioner.

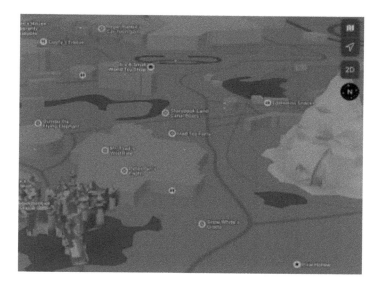

Nogle, men ikke alle, byer har også flere baner på vejen; hvis byen er konfigureret, vil du kunne se flere detaljer om baner, så du kan navigere gennem byen og vide, hvilke baner du skal være i. Hvis du ikke kan se disse detaljer, er det, fordi byen ikke er konfigureret endnu.

KORT (FLERE STOP)

Det er rart at få en rutevejledning, men du vil sikkert ofte gerne gøre et par stop undervejs. Du kan tilføje flere stop, hvis det er tilfældet.

Lad os sige, at jeg gerne vil finde ud af, hvordan jeg får mit barn til en forlystelsespark fra det sted, hvor jeg bor. Jeg skriver navnet på parken og trykker derefter på rutevejledning.

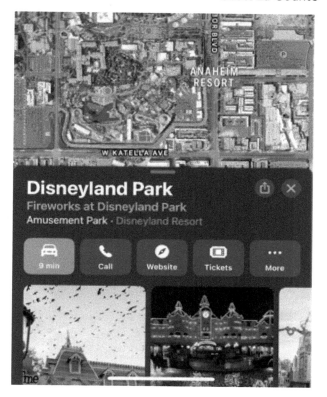

Nemt og ligetil, ikke? Men, åh, nej! Jeg har lige sat mig ind i bilen, og jeg er løbet tør for benzin! Det er ikke noget problem med maps. Jeg trykker bare på knappen Tilføj stop.

Dernæst skriver jeg adressen, eller i dette til-fælde skriver jeg bare "Gas". Det vil give mig alle de nærliggende tankstationer. Når jeg ser den, jeg vil have, trykker jeg bare på Tilføj.

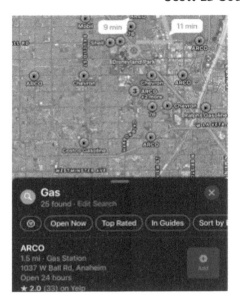

Nu er stoppet blevet tilføjet i vejvisningen - men med et forbehold: det er tilføjet til sidst. Du kan dog nemt flytte rækkefølgen af stoppene ved at trykke og holde på de tre linjer til højre for stoppet og derefter trække det op eller ned til den ønskede rækkefølge.

Hvad hvis børnene også siger, at de er sultne?! Du har vel ikke lyst til at betale forlystelses-parkpriser for morgenmad?! Bare tryk på Tilføj stop igen. Nu har jeg et kort til donut-stedet, en tankstation og til sidst forlystelsesparken.

KORTGUIDER

Kortguider er kun tilgængelige i større byer. Når du søger efter en by i Map-appen, vil du se guiderne lige under knappen for rutevejledning. Du kan også dele guiden eller gemme den.

Når du kigger på guiderne, viser den dig anbefalinger på kortet, og du kan gemme dem til senere.

FIND MIN

Hvis du brugte Find My Phone eller Find My Friend på tidligere operativsystemer, så er de chokerende nok væk! Disse to effektive apps lader dig se, hvor dine venner er på et kort, eller hvor dine enheder er på et kort.

De er i bund og grund den samme app med et andet formål, så i stedet for at beholde dem begge, besluttede Apple at slette dem og kombinere dem i én app kaldet Find My.

Appen er ret enkel. Tre faner i bunden. En til at finde dine venner (dvs. People), en til at finde dine enheder og en til at ændre indstillinger (dvs. Me).

Hvis du vil se, hvor din ven befinder sig, kan du bede ham eller hende om at dele sin placering med dig i sektionen Personer.

Det hjælper ikke meget at bruge en app til at finde din iPad, hvis du ikke har din iPad. Hvis det er tilfældet, kan du også bruge din computers browser til at se den på iCloud.com.

Hurtige noter

Quick Notes er en meget brugervenlig funktion til at skrive noter ned. Hvor let er det? Swipe op fra nederste højre hjørne af din skærm. Og så er det klaret!

Det er sådan set det - du skal klikke på en Get Started-knap, første gang du prøver det.

Efter den første åbning vises der altid en pop op-note, når du swiper op fra det nederste højre hjørne. Den svæver over andre vinduer, så du kan skrive noter ned, mens du er på en hjemmeside eller en anden app. Når du har skrevet noten, skal du trykke på knappen Udført i øverste venstre hjørne af den åbnede note. Den gemmer den automatisk og synkroniserer den også.

NOTER

Notes har altid været den foretrukne app til hurtige og enkle noter - det er som Word eller Pages, men uden alle de smarte ting. I iPadOS er

Notes stadig enkel - men den er blevet en hel del mere fancy... samtidig med at den har bevaret den enkelhed, som folk elsker ved den.

Ved første øjekast ser Notes stort set ud, som det altid har gjort. Læg mærke til det lille plustegn over tastaturet? Det er det, der er anderledes.

Tryk én gang på knappen '+', og du vil se de muligheder, der er blevet tilføjet.

Fra venstre side er der et flueben, som du trykker på, hvis du vil lave en tjekliste i stedet for en note. For hvert nyt flueben skal du bare trykke på returknappen på tastaturet.

○ Check list
○ Item 2
○ Item 3

Knappen 'Aa' er den, du skal trykke på, hvis du vil formatere noten en smule (større skrift, fed skrift, punktopstilling osv.).

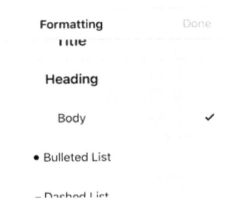

Med den lille kameraknap kan du tilføje et foto, du selv har taget, eller du kan tage et foto fra appen og indsætte det.

Og endelig giver den snoede linje dig mulighed for at tegne i Notes-appen. Når du trykker på den, kan du se tre forskellige pensler (pen, tusch og blyant), der hver især fungerer lidt forskelligt, samt en lineal og et viskelæder.

Der er også en rund sort cirkel, som du kan trykke på for at ændre farven på penslen.

Bare tryk på knappen Udført i øverste højre hjørne, når du har valgt din farve, og den vil blive ændret.

Når du trykker på knappen Udført, når du er færdig med at tegne, går du tilbage til noten. Hvis du trykker på tegningen, aktiveres den dog igen, og du kan foretage ændringer eller tilføje til din tegning.

Det er naturligvis ikke den mest avancerede tegne-app, men det er netop pointen - det er ikke meningen, at den skal være det. Som navnet på appen siger, er denne app kun til at skrive eller tegne hurtige noter.

I menuen Indstillinger er der tilføjet en søge-funktion øverst. Der er mange indstillinger i iOS, og der bliver flere og flere for hver opdatering - med søgeindstillinger kan du hurtigt få adgang til den indstilling, du ønsker. Så hvis du f.eks. vil stoppe med at få notifikationer for en bestemt app, be-høver du ikke længere at bladre gennem endeløse apps - nu skal du bare søge efter den.

Noter er også blevet tilføjet til Safariså hvis du vil tilføje en hjemmeside til en note, er det nu muligt.

Hver gang du ser muligheden for at bruge Markup, vil du bruge Notes grænseflade.

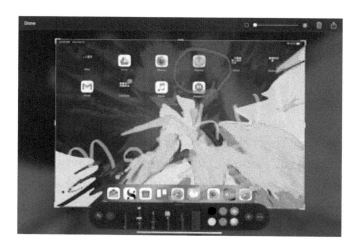

SØG TEKST I APP

Når du swiper ned fra midten af skærmen, kan du hurtigt søge efter apps, hvilket er nyttigt, hvis du har mange af dem. Du kan også søge efter tekst i apps ved at scrolle ned til afsnittet "Søg i apps".

Universal kontrol

Nogle mennesker kan virkelig godt lide at investere i Apples økosystem - og hvem kan bebrejde dem det? De laver fantastiske produkter. Så de har måske en iMac, MacBook og iPad. Apple forstår disse brugere og har skabt en funktion, der hedder Universal Control. Med Universal Control kan du nemt dele ting (fra filer og billeder til tastaturer og trackpads). Hvad betyder det? Lad os forestille os, at du har en MacBook og en iPad Mini. Når det er aktiveret, kan du åbne Pages på din iPad og trække et billede fra din MacBook til din iPad Mini. Du kan også dele din MacBooks pegefelt og tastatur med din iPad.

Det er ret enkelt at bruge den. Sæt din iPad ved siden af din MacBook, og sørg for, at de er på samme trådløse netværk og har Bluetooth - eller tilslut iPad'en til MacBook'en med USB-C, og træk derefter musen til kanten af skærmen for at flytte den over på iPad-skærmen. Det hele er ret intuitivt. Begge enheder skal også køre den nyeste version af MacOS (OS Monterey) og iPadOS (OS15). Hvis du læser denne bog på udgivelsesdatoen, er det dårlige nyheder for dig, for MacOS Monterey er ikke helt ude i skrivende stund. Det bliver måske heller ikke lanceret sammen med den første OS-opdatering. Den forventes til efteråret.

Hvis du vil forberede dig på det, skal du bare konfigurere et par ting. Først skal du på din MacBook eller iMac gå til Apple-menuen i øverste venstre hjørne, derefter vælge Systemindstillinger og til sidst gå til Generelt. I menuen Generelt skal du slå Allow Handoff between this Mac and your iCloud devices fra. På din iPad skal du derefter gå til appen Indstillinger og derefter til Generelt; tænd derefter for AirPlay & Handoff, hvis det er slået fra.

Fokus

Do Not Disturb har været på iPads i flere opda-teringer, men Focus er en ny tilføjelse. Focus fun-gerer på en måde, der minder meget om Forstyr ikke, men den kan tilpasses mere. Ideen er at oprette forskellige Focus-grupper - for eksempel kan du indstille den til Arbejde, så det kun er kol-leger, der kan få fat i dig, ikke venner.

For at starte eller oprette en Focus-session skal du swipe ned fra øverste højre hjørne. Dette bringer kontrolpanelet frem; tryk på Focus-indstill-ingen.

Den spørger dig, hvilken type fokus du vil starte. Hvis du aldrig har oprettet et fokus, skal du trykke på Get Started på den type, du vil oprette, eller klikke på + New Focus for at oprette et brugerdefineret fokus.

Når du opretter et nyt fokus, kommer der et par forslag til typer af fokusgrupper, du kan oprette.

Klik på en af pilene, og du kan indstille, hvem der kan kontakte dig, hvilke slags apps der er tilladt, og endda de tidspunkter, hvor du ønsker, at den automatisk skal tænde. Du kan f.eks. sige, at læsefokus skal tændes hver aften kl. 22.00.

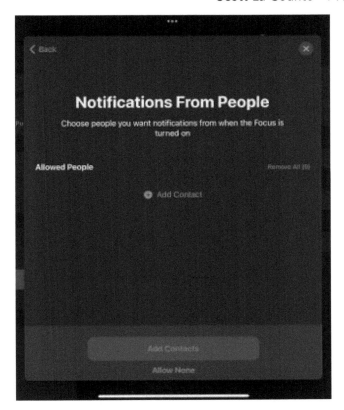

Det brugerdefinerede Focus fungerer på samme måde, men du skal give det et navn og et ikon.

Du kan til enhver tid gå ind i dine systemindstill-
inger for at redigere dine fokusgrupper.

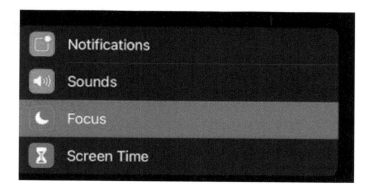

I redigeringsmenuen kan du ændre, hvornår den
er aktiv, hvilke personer der kan kontakte dig, og
hvilke apps der er aktiveret.

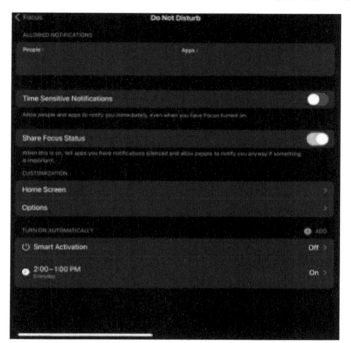

VEJR-APP

Vejr-appen har eksisteret i årevis, men iPadOS 16 gav den nogle store forbedringer. Det er ikke længere bare en app til at få vejret. Det er en app til at få præcise detaljer om vejret.

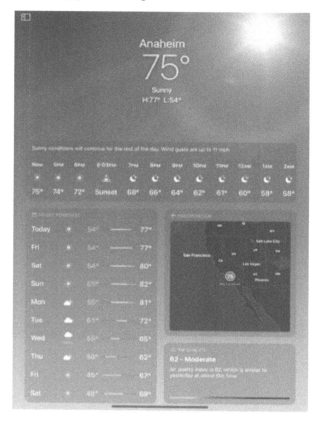

Når du klikker på en bestemt dag, får du en prognose for hver time, så du kan planlægge din dag.

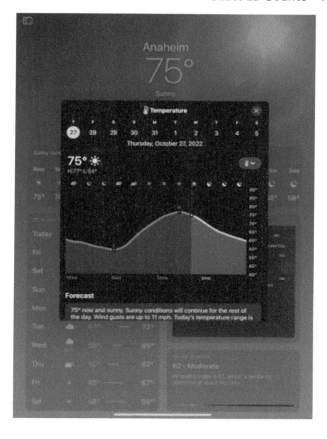

[5]

TILPASNING

Nu, hvor du kan finde rundt, er det tid til at dykke ned i indstillingerne og gøre denne tablet helt skræddersyet til dig!

I det meste af dette kapitel vil jeg opholde mig i området Indstillinger, så hvis du ikke allerede er der, skal du trykke på Indstillinger fra startskærmen.

SKÆRMTID

For at bruge skærmtid skal du gå ind i Indstillinger > Skærmtid

Du kan klikke på en app for at se, hvor meget tid du har brugt i den, og endda hvad dit gennemsnit er. Herfra kan du også tilføje grænser.

FORSTYR IKKE TILSTAND

Forstyr ikke er en praktisk funktion, som du finder øverst i appen Indstillinger. Når denne driftstilstand er aktiveret, modtager du ingen notifikationer, og alle dine opkald bliver bragt til tavshed. Det er et nyttigt trick til de tidspunkter, hvor du ikke har råd til at blive distraheret (og lad os se det i øjnene, din iPad er så kommunikativ, som den kan blive, og nogle gange har du brug for lidt fred og ro). Urets alarmer vil stadig lyde.

For at tænde, planlægge og tilpasse Forstyr ikkeskal du bare trykke på Forstyr ikke i Indstillinger. Du kan planlægge automatiske tidspunkter for aktivering af denne funktion, f.eks. din arbejdstid. Du kan også angive bestemte opkald, som skal være tilladt, når din tablet er indstillet til Forstyr ikke. På den måde kan din mor stadig komme igennem, men du behøver ikke at høre alle indgående e-mails. For at gøre dette skal du bruge kommandoen Tillad opkald fra i indstillingerne for Forstyr ikke.

Forstyr ikke er også tilgængelig via Kontrolcenter (stryg ned fra øverste højre hjørne af skærmen for at få adgang til det når som helst).

MEDDELELSER OG WIDGETS

Notifikationer er en af de mest nyttige funktioner på iPad, men det er ikke sikkert, at du har brug for at blive informeret om hver eneste begivenhed, der er indstillet som standard i dit Notifikationscenter. Gå til Indstillinger > Notifikationer for at justere præferencerne for notifikationer.

Ved at trykke på appen kan du slå Notifikationer fra eller til og finjustere typen af notifikationer fra hver app. Det er en god idé at skære listen ned til de apps, som du virkelig ønsker at få notifikationer fra - hvis du for eksempel ikke er investor, skal du slå Aktier fra.! Hvis du reducerer antallet af lyde fra din iPad, kan det også reducere tablet-relateret irritabilitet. I Mail kan du f.eks. vælge, at din tablet skal sige en lyd, når du modtager en e-mail fra en person på din VIP-liste, men kun vise badges for andre, mindre vigtige e-mails.

GENERELLE INDSTILLINGER

Menupunktet Generelt er lidt af en opsamling. Det er her, du finder oplysninger om din iPad, herunder den aktuelle version af iOS og alle tilgængelige softwareopdateringer. Heldigvis indleder iPadOS 16 en æra med mindre og mere effektive opdateringer, så du slipper for at slette apps for at få plads til de seneste forbedringer. Du kan også tjekke din tablet og iCloud lagerplads her.

Tilgængelighed er også placeret her. Du kan indstille din iPad efter dine behov med zoom, voiceover, stor tekst, farvejustering og meget mere. Der er en hel del tilgængelighedsindstill-inger, som kan gøre iPadOS 16 let at bruge for alle, herunder gråtoneskærm og forbedrede zoomind-stillinger.

En praktisk tilgængeligheds som er lidt skjult, er AssistiveTouch-indstillingen. Den giver dig en menu, der hjælper dig med at få adgang til funk-tioner på enhedsniveau. Hvis du aktiverer den, kommer der en flydende menu frem, som er de-signet til at hjælpe brugere, der har svært ved at bevæge sig på skærmen, f.eks. ved at swipe, eller ved at betjene iPad'ens fysiske knapper. En anden funktion til dem med visuelle behov er Magnifier. Hvis du slår den til, kan dit kamera forstørre ting, og du kan også klikke på Home-knappen på ældre modeller og forstørre alt, hvad du kigger på.

Jeg anbefaler, at du tager dig lidt tid til at gå igennem det generelle område, bare så du ved, hvor alting er!

LYDE

Hader du vibrationen, når din tablet ringer? Vil du ændre din ringetone? Gå til menuen Lyde menuen Indstillinger! Her kan du slå vibrationen til eller fra og tildele ringetoner til en række iPad-funktioner. Jeg foreslår, at du finder et isoleret sted, før du begynder at afprøve alle de forskellige lydindstillinger - det er sjovt, men muligvis et stort irritationsmoment for dem, der er uheldige nok til ikke at lege med deres egen nye iPad!

Tip: Du kan tilføje individuelle ringetoner og beskedadvarsler til dine kontakter. Bare gå til personens kontaktskærm i Kontaktertryk på Rediger, og tryk på Tildel ringetone.

TILPASNING AF LYSSTYRKE OG BAGGRUND

På iPad refererer wallpaper til baggrundsbilledet på din startskærm og til det billede, der vises, når din iPad er låst (låseskærm). Du kan ændre begge billeder ved hjælp af to metoder.

For den første metode skal du gå til Indstillinger > Baggrunde. Her kan du se en forhåndsvisning af dit nuværende tapet og din låseskærm. Tryk på Vælg et nyt tapet. Derfra kan du vælge et forudindlæst dynamisk (bevægeligt) eller stillbillede, eller vælge et af dine egne fotos. Når du har valgt et billede, ser du en forhåndsvisning af billedet som låseskærm. Her kan du slå Perspective Zoom fra (som får billedet til at skifte, når du vipper din tablet), hvis du vil. Tryk på Indstil for at fortsætte. Vælg derefter, om du vil indstille billedet som låseskærm, startskærm eller begge dele.

Den anden måde at foretage ændringen på er via din Photo-app. Find det foto, du gerne vil bruge som baggrundsbillede, og tryk på Del-knappen. Du får valget mellem at indstille et billede som baggrund, låseskærm eller begge dele.

Hvis du vil bruge billeder fra nettet, er det ret nemt. Bare tryk og hold på billedet, indtil meddelelsen Gem billede / Kopier / Annuller kommer frem. Hvis du gemmer billedet, bliver det gemt i Dine nyligt tilføjede billeder i appen Fotos.

PRIVATLIVETS FRED

Under Privatliv i Indstillinger kan du se, hvad apps gør med dine data. Alle apps, du har givet lov til at bruge Location Services, vises under Location Services (og du kan slå Location Services fra og til for individuelle apps eller for hele din enhed her). Du kan også gå gennem dine apps for at tjekke, hvilke oplysninger de hver især modtager og sender.

Når du bruger en app, der bruger enten kameraet eller mikrofonen, vil du nu se en grøn indikator lige over din mobilsignalbjælke.

KOMPROMITTERET ADGANGSKODE

Databrud er ret almindelige nu om dage; Apple gør sin del for at være gennemsigtig, når de sker, og hjælpe dig med at løse det, før det bliver et problem.

Gå til appen Indstillinger, og rul, indtil du kommer til Adgangskoder.

I dette område (som er beskyttet med adgangskode) kan du se alle dine gemte adgangskoder, men under Security Anbefalinger kan du også se, om din adgangskode "måske" er blevet kompromitteret. Jeg siger "måske", fordi det ikke betyder, at du er blevet hacket. Det betyder bare, at nogle data fra en virksomhed er blevet stjålet, og at du måske er på listen, fordi du tidligere har haft en konto der.

Når du klikker på anbefalingerne, tager den dig en efter en til hvert muligt brud og viser dig, hvorfor den kommer med anbefalingen. I eksemplet nedenfor står der, at Apple har haft et brud, og at de foreslår, at jeg ændrer min adgangskode.

Jeg kan trykke på Change Password on Website for at ændre adgangskoden, eller jeg kan klikke på meddelelsen for at læse lidt mere om den. I eksemplet nedenfor står der, at den har bemærket, at jeg har brugt den samme adgangskode på en anden hjemmeside, så jeg bør også ændre den.

PRIVATLIV RAPPORT

I Safarikan du trykke på AA-ikonet ved siden af webadressen for at se en Privacy rapport.

Privatlivets fred Report vil fortælle mig mere om trackere, der har forsøgt at følge mig. En tracker er dybest set en lille kode, der er indlejret i en hjemmeside for at følge med i, hvad jeg gør. For eksempel fortæller den Facebook at jeg har besøgt en hjemmeside om Lego, så den burde begynde at vise mig Lego-reklamer. Uhyggeligt, ikke?!

MAIL, KONTAKTER, KALENDERE INDSTILLINGER

Hvis du har brug for at tilføje yderligere Mail, Kontakter eller kalender konti, skal du trykke på Indstillinger > Mail, Kontakter og Kalendere for at gøre det. Det er mere eller mindre den samme proces som at tilføje en ny konto i appen. Du kan også justere andre indstillinger her, herunder din e-mail-signatur for hver linket konto. Det er også et godt sted at tjekke, hvilke aspekter af hver konto der er linket - for eksempel kan det være, at du vil linke dine opgaver, kalendere og mail fra Exchange, men ikke dine kontakter. Du kan administrere alt dette her.

Der er en række andre nyttige indstillinger her, bl.a. hvor ofte du vil have dine konti til at tjekke for mails (Push, som er standard, er det mest belastende for batterilevetiden). Du kan også slå funktioner som Ask Before Deleting til og justere, hvilken ugedag din kalender skal starte på.

TILFØJELSE AF FACEBOOK OG TWITTER

Hvis du bruger TwitterFacebook eller Flickr, vil du sikkert gerne integrere dem med din iPad. Det er nemt at gøre. Bare tryk på Indstillinger, og se efter Twitter, Facebook og Flickr i hovedmenuen (du kan også integrere Vimeo- og Weibo-konti, hvis du har dem). Tryk på den platform, du vil integrere. Derfra skal du indtaste dit brugernavn og din adgangskode. Når du gør dette, kan du dele web-sider, fotos, noter, App Store-sider musik og meget mere direkte fra din iPads egne apps.

iPad vil spørge dig, om du vil downloade den gratis Facebook-, Twitter- og Twitter-version.Twitter og Flickr-apps, når du konfigurerer dine konti, hvis du ikke allerede har gjort det. Jeg anbefaler, at du gør det - appsene er nemme at bruge, gratis og ser godt ud.

Jeg har oplevet, at når jeg har tilknyttet min Facebook konto, blev min kontaktliste ekstremt oppustet. Hvis du ikke ønsker at inkludere dine Facebook-venner i din kontaktliste, skal du justere listen over programmer, der kan få adgang til dine Kontakter i Indstillinger > Facebook.

FAMILIEDELING

Familiedeling er en af mine yndlingsfunktioner i iPadOS 16. Familiedeling giver dig mulighed for at dele App Store og iTunes køb med fami-liemedlemmer (tidligere krævede det en besværlig og ikke helt i overensstemmelse med ser-vicevilkårene dans). Når du slår Familiedeling til, opretter du også en fælles familiekalender, et fo-toalbum og en påmindelsesliste. Familiemedlemmer kan også se hinandens placering i Apples gratis app Find My app og tjekke placeringen af hinandens enheder. Alt i alt er Familiedeling en fantastisk måde at holde alle underholdt og synkroniseret på! Du kan inkludere op til seks personer i Familiedeling.

For at aktivere familiedelingskal du gå til Indstillinger > iCloud. Her skal du trykke på Konfigurer familiedeling for at komme i gang. Den person, der starter Familiedeling for en familie, kaldes familieorganisatoren. Det er en vigtig rolle, da alle køb foretaget af familiemedlemmer vil blive foretaget ved hjælp af familieorganisatorens kreditkort! Når du har oprettet din familie, vil de også kunne downloade dine tidligere køb, herunder musik, film, bøger og apps.

Inviter dine familiemedlemmer til at deltage i Familiedeling ved at indtaste deres Apple-id'er. Som forælder kan du oprette Apple-id'er til dine børn med forældrenes samtykke. Når du opretter et nyt Apple-id til et barn, bliver det automatisk føjet til Familiedeling.

Der er to typer konti i Family Sharing-voksne og børn. Som man kan forvente, har børnekonti flere potentielle begrænsninger end voksenkonti. Af særlig interesse er Ask to Buy-indstillingen. Den forhindrer yngre familiemedlemmer i at få familieorganisatorens kreditkortregning til at løbe løbsk ved at kræve forældrenes tilladelse til køb. Familieorganisatoren kan også udpege andre voksne i familien, som er i stand til at godkende køb på børnenes enheder.

OPRETTELSE AF BRUGERDEFINEREDE GENVEJE

Hvis du vil sætte dit eget friske præg på et ikon, er det "teknisk" muligt, men der er begrænsninger. Du kan for eksempel ændre iMessage-ikonet ikon til dit bryllupsbillede. Hvad er begrænsningerne? Du vil ikke få notifikationsindikatorer på det. Så dit ikon vil f.eks. ikke lyse op med en ny besked-indikator. Den starter også via appen Genveje, hvilket skaber en forsinkelse i forhold til, hvor hurtigt den åbner.

For at gøre dette skal du oprette en genvej til appen. Hvis du ikke kan se appen Shortcuts, er det muligt, at du har slettet den og skal installere den igen.

Når appen starter, skal du trykke på +-ikonet i øverste højre hjørne.

Vælg derefter Tilføj handling.

Du kan søge efter alle mulige handlinger, men det er hurtigere bare at søge efter de handlinger, du ønsker at udføre. I dette tilfælde: Åbn app.

Tryk på Vælg for at vælge den app, du vil åbne.

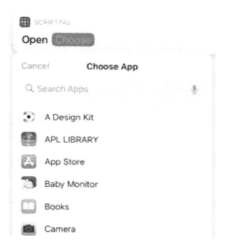

Skriv navnet på den app, du vil åbne. Jeg vælger appen Beskeder appen.

Tryk derefter på ikonet i øverste højre hjørne med de tre prikker og den blå cirkel.

Du vil oprette et ikon til den på din startskærm, så tryk på Tilføj til startskærm.

Tryk på ikonbilledet, og vælg, hvor det billede er, du vil bruge, og vælg derefter billedet.

Det giver dig en forhåndsvisning af ikonet. Før du trykker på Udført, skal du sørge for at ændre navnet fra Ny genvej til det, du vil kalde det.

Når du er færdig, vil den dukke op på din start-skærm ligesom enhver anden app.

KONTINUITET OG OVERDRAGELSE

iPadOS 16 indeholder nogle utrolige funktioner for dem af os, der arbejder på flere iPadOS 16-, Sierra- og Yosemite OSX-enheder. Når din computer kører Yosemite eller nyere, eller din iPadOS 16 iPad er forbundet til det samme Wi-Fi-netværk som din iOS 13 iPhone, kan du nu besvare opkald eller sende sms'er (begge iMessages). netværk som din iOS 13 iPhone, kan du besvare opkald eller sende tekstbeskeder (både iMessages og almindelige SMS-beskeder) fra din iPad eller computer.

Funktionen Handoff funktionen findes i apps som Numbers, SafariMail og mange flere. Handoff giver dig mulighed for at forlade en app på én enhed midt i en handling og fortsætte, hvor du slap, på en anden enhed. Det gør livet meget lettere for dem af os, der lever en livsstil med flere gadgets.

[6]
KAMERAET

OPTAGELSE AF FOTOS OG VIDEOS

Nu hvor du ved, hvordan du foretager et table-topkald, kan vi komme tilbage til de sjove ting! Jeg vil nu se på brugen af Foto-appen.

Kamera-appen er på din startskærm, men du kan også komme til den fra din låseskærm for hurtig og nem adgang.

Kamera-appen app er ret enkel at bruge. Først skal du vide, at kamera-appen har to kameraer; et på forsiden og et på bagsiden.

Frontkameraet har en lavere opløsning og bruges mest til selvportrætter; det tager stadig fremragende billeder, men husk, at kameraet på bagsiden er bedre. For at få adgang til det skal du trykke på knappen i øverste højre hjørne (den med kameraet og de to pile). Bjælken i bunden har alle dine kameratilstande. Det er sådan, du kan skifte fra foto- til videotilstand.

På siden af skærmen vil du se en lynknap. Det er din blitz. Tryk på denne knap, og du kan skifte mellem forskellige blitztilstande.

De næste to knapper vil du ikke bruge helt så meget. Den første, cirklen, er til livefotos. Live-fotos tager en kort video, mens du tager billedet; det går så hurtigt, at du ikke engang opdager det. Det er slået til automatisk, så tryk én gang for at slå det fra. Hvis du trykker og holder på et foto med live-foto aktiveret, vil du se videoen. Ved siden af er der en timer, der, som du måske forventer, forsinker billedet, så du kan tage et gruppebillede.

En af fototilstandene hedder "Pano" eller Panorama. Panorama er muligheden for at tage et ekstra langt foto, der er over 20 megapixel stort. For at bruge den skal du trykke på knappen Panorama. Der vises nu instruktioner på skærmen. Tryk på knappen Shoot i bunden af skærmen, og drej kameraet så lige som muligt, mens du følger linjen. Når det når slutningen, kommer billedet automatisk ind i dit album.

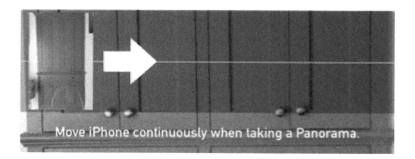

Move iPhone continuously when taking a Panorama.

Den tilstand, du sikkert har set mest til, er portrættilstanden. tilstand. Portrættilstand giver dine fotos den slørede effekt, du ser på avancerede DSLR-kameraer.

Uanset om en bruger elsker selfies eller er afhængig af fotoportrætter, er det to funktioner, som alle brugere vil sætte pris på.

Sådan får du adgang til og bruger tilstand og Portrætlys-tilstand på iPad mini:

Åbn appen Kamera app.

Stryg op eller ned for at skifte til indstillingen Portræt indstilling.

Placer billedet inden for 2-8 meter fra motivet. Kameraets ansigts- og kropsgenkendelse identificerer automatisk motivet og giver instruktioner om at bevæge sig længere væk eller komme tættere på motivet.

Vær opmærksom på Kamera app'ens anvisninger: mere lys påkrævet, blitz kan hjælpe, placer motivet inden for 2,5 meter, eller gå længere væk.

Når billedet er klar, vises et banner i bunden.

Stryg eller tryk på terningikonerne over udløserknappen for at ændre lyseffekter.

Tryk på udløserknappen for at tage billedet.

Der er flere forskellige portrættilstande tilstande (f.eks. Studio Lighting), men du kan skifte tilstand, efter du har taget billedet; så hvis du tager det med Studio Lighting, men beslutter, at en anden tilstand vil se bedre ud, kan du ændre det.

FOTOREDIGERING

Det er lige så nemt at redigere dine fotos, som det er at tage dem. Selv om redigeringsværktøjerne er enkle, er de også ret kraftfulde. Men hvis du vil have mere magt, kan du altid downloade en af de hundredvis af fotoredigeringsapps i App Store.

For at redigere et foto skal du trykke på fotoikonet på din startskærm.

Når du starter Fotos, vil du se en fane med tre knapper; lige nu taler jeg om knappen Fotos, men vi taler om Fotostream i næste kapitel. Tryk på Albums og lad os komme i gang med at redigere!

Tryk derefter på det foto, du vil redigere, og tryk derefter på Rediger i øverste højre hjørne. Dette vil åbne redigeringsmenuen. Nederst på skærmen kan du se alle mulighederne: fortryd, autokorrektur (som korrigerer farven på billedet), farveændring, fjernelse af røde øjne og endelig beskæring.

Den eneste ekstra funktion er den midterste, som giver dig mulighed for at ændre farvemætningen.

Når du er tilfreds med ændringerne, skal du trykke på Gem i øverste højre hjørne.

Husk, at når du vil tilbage til den forrige skærm, skal du bare trykke på Tilbage-knappen i øverste venstre hjørne.

LIVE-BILLEDER

Apple introducerede Live Photos i 2015, da iPhone 6s kom på markedet. Denne funktion forbedrer tablettens fotografering ved hjælp af billeder, der bevæger sig. iPadOS 16 gør Live Photos bedre end nogensinde. Vil du vide, hvordan man tager et livefoto? Lad os se på det.

Live-fotos registrerer, hvad der sker 1,5 sekunder før og efter, du tager billedet. Det betyder, at du ikke kun får et billede, du får også bevægelse og lyd.

Åbn appen Kamera appen;

Indstil dit kamera til fototilstand, og slå Live Photos til;

Hold tabletten helt stille;

Tryk på .

Med din iPad mini er Live Photos naturligvis slået til som standard. Hvis du vil tage et stillbillede, skal du trykke på  og du får mulighed for at slå Live Photos fra. Hvis du ønsker, at Live Photos altid skal være slået fra, skal du gå til Indstillinger > Kamera > Bevar indstillinger.

FOTOALBUMS OG FOTODELING

Så nu, hvor dit foto er taget og redigeret, lad os se, hvordan du deler fotos.

Der er flere måder at dele fotos på. Når du åbner et foto, vil du se en indstillingsbjælke i bunden. Den ældre version havde flere muligheder - disse muligheder er nu blevet flyttet til et centralt sted, som du vil se i det følgende.

Med den første knap kan du dele billedet socialt og til medieenheder.

Den øverste række er flere af de sociale muligheder; den nederste række er flere af medieindstillingerne. AirPlaylader dig for eksempel sende billederne trådløst, hvis du har et Apple TV.

Endelig kan du slette billedet med den sidste knap, men du skal ikke være bange for at komme til at slette et billede, for den beder dig bekræfte, om du vil slette billedet, før du sletter det.

Lad os nu gå til den midterste fane. Photo Stream er lidt ligesom Flickr; her kan du nemt dele dine fotos med familie og venner. For at komme til Photo Stream skal du trykke på knappen Shared i bunden af Photo-appen.

I øverste venstre hjørne er der en '+'-knap; tryk på den.

Det åbner en menu, hvor du kan oprette en delt mappe. Derfra kan du vælge navn, hvem der kan se det, og om det er en offentlig eller privat foto-stream. For at vælge en person i dine kontakter skal du trykke på den blå '+'-knap.

Når albummet er oprettet, skal du trykke på knappen '+' og trykke på hvert foto, du vil tilføje, og derefter trykke på færdig.

Når din familie eller ven har accepteret din Stream-invitation, begynder du automatisk at synkronisere dine fotos. Hver gang du tilføjer et foto til dit album, vil de modtage en notifikation.

Den nye iPadOS vil nu også gruppere dine fotos som minder; det gør den ved at se på, hvor og hvornår billedet er taget. Så du vil begynde at lægge mærke til grupper som "Juleminder".

BILLEDTEKSTNING

Når du swiper op på et foto, kan du foretage ændringer og tilføje filtre, og du kan også tilføje en billedtekst, som du senere kan søge på. Så du kan tilføje noget som "Grand Canyon Vacation" og senere søge efter det udtryk.

SKJUL BILLEDER

Vi har alle pinlige billeder - du ved, dem, hvor du er klædt i en tutu, mens du rider på en enhjørning? Eller er det bare mig?!

Hvis du vil skjule "bestemte" fotos, så det kun er dig, der kan se dem, er det en mulighed. Før i tiden kunne man skjule dem, men de dukkede op i dine album. De var "på en måde" skjult, men jeg tror, de fleste vil være enige i, at de ikke var så meget skjult som sværere at finde.

I iPadOS 16 blev det muligt at skjule den mappe helt. Gå til appen Indstillinger og derefter Fotos; rul til Skjult album. Hvis det er slået til, vil Skjult album være i området Hjælpeprogrammer for album (som jeg sagde, sværere at finde, men ikke rigtig skjult); hvis det er slået fra, er det væk. Det er ikke til at finde. Billederne gemmes og opbevares i skyen - selvom du ikke kan se dem. Hvis du vil se dem, skal du slå det til igen, gå til Albums og scrolle til Utilities. Hvis du kender en berømthed, så giv denne information videre til dem, så vi kan holde op med at høre om alle de "utilsigtede" delinger af billeder, der skulle være private.

For at skjule et foto skal du finde det, vælge det og trykke på Del-ikonet; det viser, hvordan du vil dele det (et lidt misvisende navn, ikke - du skjuler det, fordi du ikke vil dele det!); en af mulighederne er Skjul - tryk på det.

Det vil bekræfte, at du faktisk ønsker at skjule det. Hvis du ombestemmer dig senere, går du ind i det skjulte album og ophæver skjulingen på samme måde. Du kan også vælge flere billeder ad gangen for at skjule dem som en gruppe.

LØFT FOTOET UD AF BAGGRUNDEN

Billeder i tekster og dokumenter er sjove. Ved du, hvad der er endnu bedre? Fjern baggrunden, så billedet virkelig skiller sig ud!

Åbn et foto, og tryk derefter på den del, du vil trække ud fra baggrunden. Vælg derefter kopi.

Gå derefter til det program, du vil indsætte det i. Jeg bruger Notes-appen, men du kan bruge en sms, e-mail eller mange andre apps. Herfra skal du trykke og holde og derefter vælge indsæt.

Se lige der! Et foto er indsat med baggrunden fjernet!

Opslag

Forestil dig: Du har lige set den mest bedårende hund. Du vil gerne vide, hvilken race den er. Fotos har en nem løsning: Tag et billede, og slå det op. Tag et kig på hvalpen nedenfor. Bedårende, ikke? Men hvad er det helt præcist? Når du swiper op over et foto af en hund, kan du se det.

Når du har swipet op, forudsat at den genk-
ender, at det er en hund, vil den have et
poteaftryk-ikon. Tryk på det.

Den vil nu bringe det tilbage, som den kalder "Siri Knowledge", som er artikler om den race, den tror, det er. Den vil også vise lignende billeder. Har den altid ret? Det er en computer, så nej - det gælder især for gadekryds, der har flere racer.

Denne funktion er ikke begrænset til hunde. Du kan bruge den med andre dyr og endda landemærker. På billedet nedenfor tror den, at den ved, hvor billedet er taget, og den vil vise det på et kort - hvis det var et vartegn, ville den også give artikler om billedet.

LEVENDE TEKST

Ud over artikler om et dyr eller et sted på et foto, kan du også kopiere tekst ud af et foto. Du skal bare sørge for, at teksten er skarp nok. Dette er især nyttigt til ting som telefonnumre. Vil du ringe til en virksomhed? Bare tag et billede af skiltet med nummeret, og tryk så på nummeret i billedet, så kan du ringe op fra billedet.

FÆLLES BIBLIOTEK

At dele et album er ikke noget nyt i iOS. At dele et bibliotek er dog noget helt andet. Deling af et bibliotek giver folk adgang til alle dine fotos - eller fotos, som du giver dem tilladelse til at se - f.eks. et datointerval. En af de fede funktioner er, at du kan dele direkte til den mappe, når du tager et billede. Lad os se på, hvordan du sætter det op, og hvordan det fungerer.

For at komme i gang skal du gå ind i dine Indstillinger. Fra Indstillinger skal du navigere til Fotos og derefter klikke på indstillingen Delt bibliotek.

Det giver dig en meget enkel vejledning i, hvordan du sætter tingene op; bare tryk på den blå Get Started-mulighed for at komme i gang.

Dernæst tilføjer du de kontakter, du ønsker at dele - vær forsigtig her: da den deler alle dine fotos, vil du sandsynligvis kun vælge nærmeste familie.

Vælg derefter, hvad du vil dele: alle dine fotos, et datointerval af fotos eller vælg manuelt.

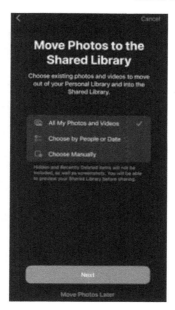

Derefter får du en forhåndsvisning af det, du deler. Hvis du har været iPhone-bruger i et stykke tid, er det måske ret stort - i mit tilfælde kan du se, at jeg deler næsten 50.000 fotos og 4.000 videoer. Hvis du deler noget lignende, vil du sandsynligvis se en behandlingsskærm i længere tid.

Herfra bestemmer du, hvordan du vil invitere dem til at se billederne.

Den indsætter bare et lille miniaturebillede med linket i den besked, du sender.

Den vil også spørge dig, om du vil dele direkte fra kameraet - det betyder, at den deler det, du tager et billede af.

Når du har svaret på spørgsmålet om kameraet, er du klar til at begynde at dele.

Når du nu går ind i fotos, vil du bemærke, at når du klikker på de små tre prikker i øverste højre hjørne af alle fotos, er der en mulighed for at se dine forskellige biblioteker.

Gå ind i din kamera-app, og du vil også se et lille person-ikon, der enten er slået til eller fra.

Fra betyder, at du ikke deler de fotos, du tager billeder af i dit delte bibliotek; til betyder, at du gør det.

[7]
ANIMOJI?

SÅDAN TILFØJER DU DIN EGEN ANIMOJI

Jeg vil være ærlig og sige, at jeg synes, Animoj er uhyggelig! Hvad er det for noget? Man er næsten nødt til at prøve det for at forstå det. I en nøddeskal forvandler Animoji dig til en emoji. Vil du sende en emoji af en abe til nogen? Det er sjovt. Men ved du, hvad der også er sjovt? At få aben til at have det samme udtryk som dig!

Når du bruger Animoji, placerer du kameraet foran dig. Hvis du rækker tunge, stikker emojien sin tunge ud. Hvis du blinker, blinker emojien. Så det er en måde at sende en person en emoji med præcis, hvordan du har det.

For at bruge den skal du åbne din iMessage app. Start en sms, som du plejer. Tryk på App-knappen efterfulgt af Animoji-knappen. Vælg en Animoji, og tryk for at se fuld skærm. Se direkte ind i kameraet, og placer dit ansigt i berømmelsen. Tryk på optageknappen, og tal i op til 10 sekunder. Tryk på knappen Preview for at se Animojien. Tryk på pil-op-knappen for at sende eller skraldespanden for at slette.

Du kan også lave en emoji, der ligner dig. Klik på den store '+'-knap ved siden af de andre Animojis.

Den guider dig gennem alle trinene til at sende din helt egen Animoji- fra hårfarve til næsetype.

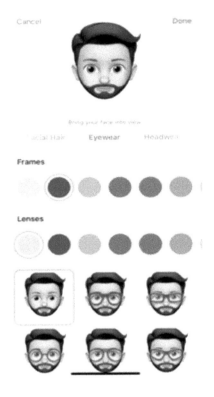

Når du er færdig, er du klar til at sende.

[8]
HEJ, SIRI

På nuværende tidspunkt ved du sikkert alt om Siri og hvordan den kan minde dig om ting. Hvis ikke, så sig: "Hej, Siri."

Siri fungerer som altid, men hun har fået et par opdateringer under motorhjelmen, der gør hende hurtigere.

Den største ændring i Siri er udseendet. Temaet for mange af ændringerne i iOS er, hvordan man minimerer det, der allerede fungerer. Med Siri betyder det et mindre udseende. Den starter nu på en mere diskret måde.

Hendes svar har også færre distraktioner. Hun plejede at starte fuldskærmssvar, som tog dig ud af det, du var i gang med, for at se svaret. Nu fylder det bare en lille smule.

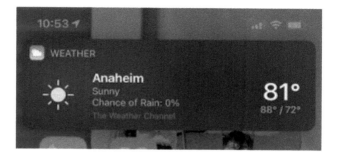

Så hvad gør man egentlig med den? Det første, du skal gøre, er at introducere Siri til din familie. Siri er ret klog, og hun vil gerne møde din familie. For at introducere hende for din familie skal du aktivere Siri og sige: "Brian er min bror" eller "Susan er min chef". Når du har bekræftet forholdet, kan du nu sige ting som: "Ring til min bror" eller "send en e-mail til min chef."

Siri er også lokationsbaseret. Hvad betyder det? Det betyder, at i stedet for at sige: "Påmind mig om at ringe til konen kl. 8", kan du sige: "Mind mig om at ringe til konen, når jeg forlader arbe-

jdet", og så snart du forlader kontoret, vil du mod-
tage en påmindelse. Siri kan være lidt frustrerende
i starten, men det er en af tablettens mest kraft-
fulde apps, så giv den en chance!

Alle hader at vente. Der er ikke noget værre
end at være sulten og skulle vente en time på et
bord. Siri gør sit bedste for at gøre dit liv lettere
ved at reservere bord for dig. For at det skal fun-
gere, skal du bruge en gratis app, der hedder
OpenTable (du skal også have en gratis konto), som
du finder i Apple App Store. Denne app tjener sine
penge ved, at restauranter betaler den, så du skal
ikke bekymre dig om at skulle betale for at bruge
den. Når den er installeret, skal du blot aktivere Siri
og sige: "Hey Siri, lav en reservation til mig på
Olive Garden" (eller hvor du nu vil spise). Bemærk,
at ikke alle restauranter deltager i OpenTable, men
hundreder (hvis ikke tusinder) gør, og det vokser
hver måned, så hvis det ikke er der, vil det sandsyn-
ligvis snart være det.

Siri udvikler sig hele tiden. Og med den seneste
opdatering har Apple lært hende alt, hvad hun har
brug for at vide om sport. Kom nu, prøv det! Sig
noget i stil med: "Hej, Siri. Hvad er stillingen i
Kings-kampen?" eller: "Hvem fører ligaen i home-
runs?"

Siri er også blevet lidt klogere på film. Du kan
sige: "Film instrueret af Peter Jackson", og den vil
give dig en liste og lade dig se en synopsis, an-
melderkarakteren fra Rotten Tomatoes og i nogle
tilfælde endda en trailer eller en mulighed for at

købe filmen. Du kan også sige: "Filmtider", og der vises en liste over film, der vises i nærheden. På nuværende tidspunkt kan du ikke købe billetter til filmen, men man kan forestille sig, at den mulighed kommer meget snart.

Endelig kan Siri åbne apps for dig. Hvis du vil åbne en app, skal du bare sige: "Åbn og appens navn."

Med det nye iPadOS kan du tilføje genveje til Siri.Du kan se det under Indstillinger > Siri & Søg > Genveje.

[10]

APPLE-TJENESTER

INTRODUKTION

Det plejede at være et par gange om året, at Apple gik på scenen og annoncerede noget, som alle eksploderede over! iPhonen! iPad'en! Apple-uret! iPod'en!

Det sker stadig i dag, men Apple er også godt klar over virkeligheden: De fleste mennesker opgraderer ikke til ny hardware hvert år. Hvordan tjener en virksomhed penge, når det sker? Med ét ord: tjenester.

I de seneste par år (især i 2019) har Apple annonceret flere tjenester - ting, som folk kunne vælge at betale for hver måned. Det var en måde at fortsætte med at tjene penge på, selv når folk ikke købte hardware.

For at det skulle fungere, vidste Apple, at de ikke bare kunne tilbyde en dårlig service og forvente, at folk ville betale, fordi der stod Apple på den. Den skulle være god. Og det er den!

Denne bog guider dig gennem disse tjenester og viser dig, hvordan du får mest muligt ud af dem.

ICLOUD

iCloud er noget, som Apple ikke taler så meget om, men som måske er deres største tjeneste. Det anslås, at næsten 850 millioner mennesker bruger den. Men der er mange, der ikke engang ved, at de bruger den.

Hvad er det helt præcist? Hvis du er bekendt med Google Drev, forstår du sikkert allerede konceptet. Det er et online opbevaringsrum. Men det er mere end det. Det er et sted, hvor du kan gemme filer, og det synkroniserer også alt - så hvis du sender en besked på din iPhone, vises den på din MacBook og iPad. Hvis du arbejder på en Key-note-præsentation fra din iPad, kan du fortsætte, hvor du slap på din iPhone.

Hvad der er endnu bedre ved iCloud er, at det er til at betale. Nye telefoner får 5 GB gratis. Derfra er prisklassen som følger (bemærk, at disse priser kan ændre sig efter udskrivning):
- 50GB: $0.99
- 200 GB: 2,99
- 2TB: $9.99

Disse priser gælder for alle i din familie. Så hvis du har fem personer på dit abonnement, behøver hver person ikke sit eget lagerabonnement. Det betyder også, at køb gemmes - hvis et familiemedlem køber en bog eller film, kan alle få adgang til den.

iCloud er blevet endnu mere kraftfuld, efterhånden som vores fotobibliotek vokser. Fotos plejede at være relativt små, men i takt med at kameraerne er blevet bedre, er størrelsen steget. De fleste fotos på din telefon er flere MB store. iCloud betyder, at du kan beholde de nyeste på din telefon og lægge de ældre i skyen. Det betyder også, at du ikke behøver at bekymre dig om at betale for telefonen med den største harddisk - selv hvis du har den største harddisk, er der faktisk en chance for, at den ikke passer til alle dine fotos.

Hvor er iCloud?

Hvis du kigger på din iPad, kan du ikke se en iCloud-app. app. Det er fordi, der ikke er en iCloud-app. Der er en Filer app, der fungerer som et opbevaringsskab.

For at se iCloudskal du pege din computers browser mod iCloud.com.

Når du logger ind, kan du se alle de ting, der er gemt i din Cloud - fotos, kontakter, noter, filer; det er alt sammen ting, du kan få adgang til på tværs af alle dine enheder.

Derudover kan du bruge iCloud fra enhver computer (selv pc'er); dette er især nyttigt, hvis du har brug for at bruge Find Mysom ikke kun lokaliserer din iPhone, men alle dine Apple-enheder - telefoner, ure, selv AirPods.

Sikkerhedskopiering af din telefon med iCloud
Det første, du bør vide om iCloud er, hvordan du sikkerhedskopierer din telefon med den. Det er det, du skal gøre, hvis du flytter fra en telefon til en anden.

Hvis der ikke er en iCloud app på telefonen, hvordan gør man så det? Selvom der ikke er nogen indbygget app i den traditionelle forstand, som du er vant til, er der flere iCloud-indstillinger i appen Indstillinger.

Åbn appen Indstillinger; øverst kan du se dit navn og profilbillede; tryk på det.

Dette åbner mine ID-indstillinger, hvor jeg kan opdatere ting som telefonnumre og e-mail. En af mulighederne er iCloud. Tryk på den.

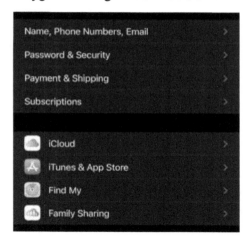

Rul lidt ned, indtil du kommer til den indstilling, hvor der står iCloud Backup, og tryk på den.

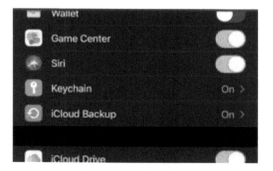

Den vil sandsynligvis være tændt (vippekontakten vil være grøn); hvis du hellere vil gøre tingene manuelt, kan du slå den fra og derefter vælge Back Up Now. Hvis du slår den fra, skal du lave en manuel backup hver gang.

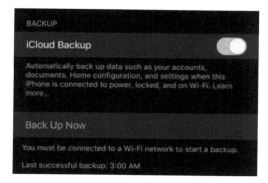

Fra iCloudkan du også ændre, hvilke apps der bruger iCloud, og se, hvor meget plads du har tilbage. I mit tilfælde har jeg en 2TB-plan, og vi har brugt omkring halvdelen.

Hvis du trykker på Manage Storage, kan du se, hvor lagerpladsen bliver brugt. Du kan også op- eller nedgradere din konto fra denne side ved at trykke på Change Storage Plan.

Tryk på Family Usage, og du kan se mere specifikt, hvilke familiemedlemmer der bruger hvad. Du kan også stoppe delingen fra denne side.

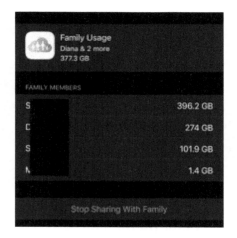

Flytning til en ny enhed

Når du får en ny enhed, vil du under opsætningen blive bedt om at logge ind med dit Apple ID, der er knyttet til din tidligere enhed, og derefter få mulighed for at gendanne fra en tidligere enhed.

Deling af fotos med iCloud

Sådan deler og sikkerhedskopierer du fotos med iCloudskal du gå ind i Indstillinger > Fotos og sikre dig, at iCloud Fotos er slået til på grøn. Hvis du har for lidt lagerplads, kan du vælge indstillingen Optimer lagerplads nedenfor.

Filer App

For at se dine filer i skyen skal du åbne appen Filer appen.

Det første, du vil se, er alle dine seneste filer.

Hvis du ikke kan se, hvad du leder efter, så gå til de nederste faner og skift fra Recents til Browse.

Dette åbner en mere traditionelt udseende filudforsker.

Hvis du vil oprette en ny mappe, oprette forbindelse til en server eller scanne et dokument, skal du trykke og holde et vilkårligt sted på skærmen.

Med Scan Documents kan du bruge dit kamera som en traditionel flatbedscanner til at scanne og printe dokumenter.

Du kan også få adgang til denne mulighed ved at trykke på placeringer og derefter trykke på de tre små prikker.

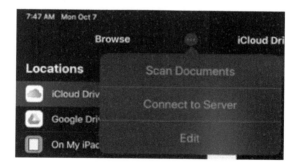

Du kan trække op fra toppen for at få vist en skjult sorteringsmenu (hvor du også kan oprette en ny mappe).

Hvis du trykker og holder på et af ikonerne, åbnes en menu, hvor du kan dele, omdøbe og meget mere til en fil.

iCloud Indstillinger

Et andet vigtigt sæt af iCloud indstillinger findes i Indstillinger > Generelt > iPad-lagring.

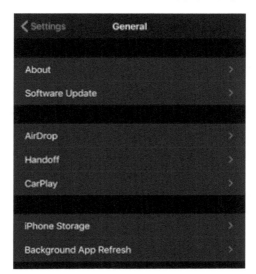

Når du trykker på den, viser den dig, hvor meget lagerplads apps bruger, og kommer også med anbefalinger.

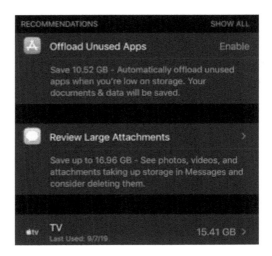

208 / Den sindssygt nemme guide til iPadOS 17

APPLE MUSIK

Apple Musik er Apples musikstreamingtjeneste.

Det spørgsmål, de fleste stiller sig selv, er, hvad der er bedst: Spotify eller Apple Music? På papiret er det svært at sige. De har begge det samme antal sange, og de koster begge det samme (9,99 dollars om måneden, 5 dollars for studerende, 14,99 dollars for familier).

Der er virkelig ingen klar vinder. Det hele handler om præferencer. Spotify har nogle gode funktioner - f.eks. et gratis abonnement, der understøttes af reklamer.

En af de mest fremtrædende funktioner i Apple Music er iTunes Match. Hvis du er ligesom mig og har en stor samling lydfiler på din computer, vil du elske iTunes Match. Apple lægger disse filer i skyen, og du kan streame dem på alle dine enheder. Denne funktion er også tilgængelig, hvis du ikke har Apple Music for $25 om året.

Apple Musik spiller også godt sammen med Apple-enheder; så hvis du er et Apple-hus (dvs. alt, hvad du ejer, fra smarthøjttalere til TV mediebokse, har Apple-logoet), så er Apple Music nok det bedste for dig.

Apple er kompatibel med andre smarthøjttalere, men den er bygget til at brillere på sine egne enheder.

Jeg vil ikke komme ind på Spotify her, men mit råd er at prøve dem begge (de har begge gratis

prøveversioner) og se, hvilken brugerflade du fore-
trækker.

Apple Musik Crash Course

Før vi gennemgår, hvordan det står til med
Apple Musicer det værd at bemærke, at Apple Mu-
sic nu kan tilgås fra din webbrowser (i betaform)
her: http://beta.music.apple.com.

Det er også værd at bemærke, at jeg har en lille
pige og ikke kommer til at lytte til meget "voksen"
musik, så eksemplerne her kommer til at vise en
masse børnemusik!

Hovednavigationen på Apple Music er i bunden.
Der er fem grundlæggende menuer at vælge
imellem:

* Bibliotek
* Til dig
* Gennemse
* Radio
* Søgning

Yderst til højre er der en bjælke med det, der
afspilles i øjeblikket (hvis relevant).

Bibliotek

Når du opretter spillelister eller downloader
sange eller album, er det her, du finder dem.

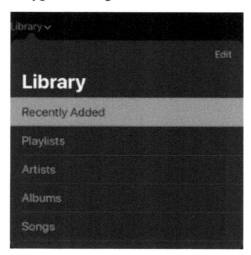

Du kan ændre de kategorier, der vises på denne første liste, ved at trykke på Rediger og derefter afkrydse de kategorier, du ønsker. Sørg for at trykke på Udført for at gemme dine ændringer.

Til dig

Når du spiller musik, begynder Apple Music at lære dig mere og mere at kende; den kommer med anbefalinger baseret på, hvad du spiller.

I For You kan du få et mix af alle disse sange og se andre anbefalinger.

Ud over forskellige musikstilarter har den også anbefalinger fra venner, så du kan opdage ny musik baseret på, hvad dine venner lytter til.

Gennemse

Er du ikke vild med anbefalingerne? Du kan også gennemse genrer i menuen Gennemse. Ud over forskellige genrekategorier kan du se, hvilken musik der er ny, og hvilken musik der er populær.

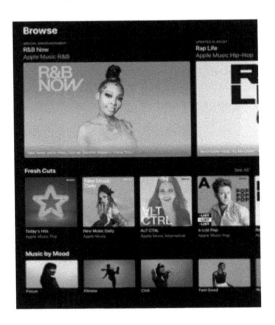

Radio

Radio er Apples version af AM/FM; den vigtigste radiostation er Beats One. Der er DJ's i luften og alt, hvad man kan forvente af en radiostation.

Selvom Beats One er Apples flagskibsstation, er det ikke den eneste station. Du kan scrolle ned og trykke på Radiostationer under Mere for at udforske og se flere andre stationer baseret på musikstile (dvs. country, alternativ, rock osv.). Under denne menu finder du også en håndfuld talestationer, der dækker nyheder og sport. Forvent ikke at finde den meningsfyldte taleradio, du måske lytter til på almindelig radio - den er temmelig kontroversfri.

Søgning

Den sidste mulighed er søgemenuen, som er ret selvforklarende. Skriv, hvad du vil finde (f.eks. kunstner, album, genre osv.).

At lytte til musik og oprettelse af en playliste
Du kan få adgang til den musik, du lytter til i øjeblikket, fra bunden af skærmen.

Hvis du trykker på den, får du en større visning af det, du lytter til, med flere muligheder.

Knapperne til afspilning, frem/tilbage og lyd-
styrke er ret ligetil. Knapperne nedenunder ser
måske nye ud.

Den første mulighed er for tekster. Hvis sangen
er sat på pause, kan du læse teksten igennem; hvis
sangen spiller, vil den vise teksten til den sang, den
spiller i øjeblikket. Hvis du nogensinde har undret

dig over, om sangeren siger "dense" eller "dance", så er denne funktion en game changer.

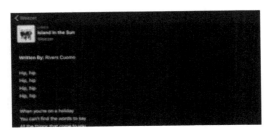

Den midterste mulighed lader dig vælge, hvor du vil afspille musikken. Hvis du for eksempel har en HomePod, og du vil lytte trådløst til musikken fra den enhed, kan du ændre det her.

Den sidste mulighed viser de(n) næste sang(e) i afspilningslisten.

Hvis du vil tilføje en sang til en playliste, skal du klikke på de tre prikker ved siden af albummet/ kunstnerens navn. Dette åbner en liste med flere muligheder (du kan også gå hertil for at elske eller hade en sang - hvilket hjælper Apple Music med at finde ud af, hvad du kan lide). finde ud af, hvad du kan lide); den ønskede mulighed er Føj til en af- spilningsliste. Hvis du ikke har en afspilningsliste eller vil føje den til en ny, kan du også oprette en her.

Du kan til enhver tid trykke på kunstnerens navn for at se al hans musik.

Ud over at se information om bandet, deres populære sange og deres albums, kan du få en playliste med deres vigtigste sange eller en playliste med bands, som de har haft indflydelse på.

Hvis du scroller ned i bunden, kan du også se Similar Artists, som er en god måde at opdage nye bands, der minder om dem, du lytter til i øjeblikket.

Tips til at få mest muligt ud af Apple Music

HJERTE

Kan du lide, hvad du hører? Så er du med! Hader du det? Kan ikke lide det. Apple lærer dig at kende ud fra, hvad du lytter til, men det bliver mere præcist, når du fortæller dem, hvad du synes om en sang, du virkelig godt kan lide ... eller virkelig hader.

BRUG INDSTILLINGER

Nogle af de mest opfindsomme funktioner i Apple Music er ikke i Apple Music - de er i dine indstillinger.

Åbn appen Indstillinger, og rul ned til Musik.

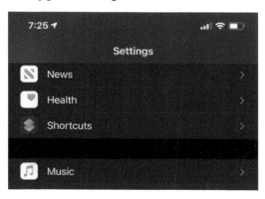

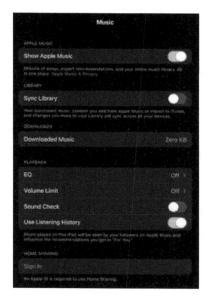

Hvis du vil ændre den måde, din musik lyder på - f.eks. mere eller mindre bas - skal du gå til EQ i indstillingerne.

DOWNLOAD MUSIK

Hvis du ikke vil være afhængig af data, når du er på farten, skal du sørge for at trykke på skyen på din musik for at downloade musikken lokalt til din telefon. Hvis du ikke kan se en sky, kan du tilføje den til dit bibliotek ved at trykke på plusset, så den bliver til en sky.

HEJ SIRI

Siri kender musik! Sig "Hey Siri", og sig, hvad du vil lytte til, så går den kunstige intelligens i gang med arbejdet.

APPLE NYHEDER

I 2012 disruptede en lille app med store ambitioner ved navn Next (den blev senere ændret til Texture) magasinbranchen ved at skabe magasinernes Netflix. For en lav pris kunne du læse hundredvis af magasiner (og også deres tidligere udgaver). Det var ikke små indie-magasiner - det var de store: People, Time, Wired og mange flere.

Apple lagde mærke til det, og i 2018 opkøbte de virksomheden. Skriften var på væggen: Apple ønskede at komme ind på printområdet.

I 2019 blev det annonceret, at Texture ville lukke, fordi Apple ville lancere en ny tjeneste kaldet News+. News+ gør alt, hvad Texture gjorde, men kombinerer også aviser (Los Angeles Times og The Wall Street Journal).

Der er en gratis version af tjenesten, som kuraterer nyheder for dig; betalingsversionen, som indeholder magasinabonnementer, koster 9,99 dollars. (Du kan have fem familiemedlemmer på din plan).

Det, der virkelig gør Apple News skiller sig ud, er, at det er kurateret til dig og din smag. Hvis du har andre familiemedlemmer på din plan, vil den også være kurateret til dem - den er baseret på brugerens smag, så hvis du har et familiemedlem, der er til underholdningsnyheder, og du er til spilnyheder, vil du ikke se deres interesser - kun dine.

Apple-nyheder Crash Course

For at komme i gang skal du åbne News fra din iPad (hvis den ikke er på din iPad, kan den downloades gratis fra App Store).

Brugergrænsefladen til appen er ret enkel. Der er flere menupunkter, som du finder ved at stryge fra venstre side af skærmen til højre; de to, du vil bruge mest:

I dag - Her finder du dine kuraterede nyheder

Nyheder+-Hvor du finder magasiner

I dag

Today-menuen giver dig alle dine nyheder (startende med topnyhederne/breaking news) i et rulleformat.

Appen er meget afhængig af bevægelser. Tryk og hold over en historie, og du får flere mulighed-er.

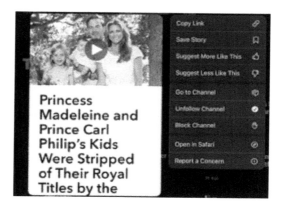

Den, du sandsynligvis vil bruge mest, er at foreslå mere / mindre som dette; disse to mu-ligheder hjælper Apple News med at forstå, hvad du er til, og vil med tiden begynde at tilpasse his-torier baseret på præferencer. forstå, hvad du er til, og vil med tiden begynde at personliggøre histori-er baseret på dine præferencer.

Typisk betyder "rapporter" i en nyhedsapp, at du finder det upassende; det er sandt her, men der er andre grunde til at rapportere det - såsom at det er dateret forkert, det er i den forkerte kategori, det er et brudt link eller noget andet.

Når du scroller ned, begynder du at se forskel-lige kategorier (Trending Stories i eksemplet ne-denfor); når du trykker på de tre prikker med en cirkel, får du mulighed for at blokere den, så den ikke længere vises i dit feed.

Når du trykker for at læse en historie, er der kun få muligheder. Øverst er der mulighed for at gøre teksten større eller mindre; ved siden af er der mulighed for at dele historien med venner (forudsat at de har Apple News). For at komme til den næste historie er der en mulighed i nederste højre hjørne (eller swipe til venstre fra højre hjørne af skærmen); for at komme tilbage til den forrige side skal du trykke på tilbage-pilen i øverste venstre hjørne eller swipe til højre fra venstre side af skærmen.

Actress Loretta Young's onetime desert
haunt is for sale at $1.475 million

The Midcentury Modern house in Palm Springs has an unusual circular design.

By LAUREN BEALE

A Palm Springs home that was once owned by Academy Award-winning actress
Loretta Young has come on the market at $1.475 million.

Mountains create a backdrop for the striking 1964 Midcentury Modern, which is
entered through a breezeway flanked by rock gardens, fountains and palms. Walls
of glass bring in views of the garden from the circular living room. A round tray
ceiling with a stylized medallion accentuates the shape.

En kritik af Apple News har været bruger-
grænsefladen; da Apple annoncerede tjenesten
sammen med sit partnerskab med Los Angeles
Times og Wall Street Journal, forventede mange et
format svarende til det, man har set med magasin-
sektionen - et fuldt avislayout.

Værre var det, at mange ikke engang vidste,
hvordan de skulle finde avisen. Og hvis de fandt
den, kunne de ikke søge efter historier. Selvom ap-
pen er ret opfindsom, er det stadig et tidligt pro-
dukt, og nogle af de funktioner, du ønsker, er der
måske ikke endnu.

Når det er sagt, kan du "på en måde" læse Los
Angeles Times (eller enhver anden avis i Apple

News) på en mere traditionel måde. Find først en artikel i dit feed fra den publikation, du vil se mere fra, og klik derefter på publikationens navn øverst i historien.

Los Angeles Times

Dette vil bringe publikationen frem sammen med alle emnerne fra denne publikation.

Hvis du vil søge efter en bestemt historie eller publikation, skal du swipe fra venstre side af skærmen til højre og søge efter det, du vil finde.

Følgende

Du kan til enhver tid swipe fra venstre kant af skærmen til højre og se de kanaler/emner, du følger.

Det er her, du vil kunne se din historik, læse gemte historier (som nævnt ovenfor), søge efter historier og publikationer og følge eller fjerne følgere fra emner.

For at unfollow en kategori, swipe til venstre over den og vælg unfollow.

For at tilføje en ny kategori skal du scrolle lidt ned. Du vil se foreslåede emner. Tryk på '+'-knappen for dem, du vil følge.

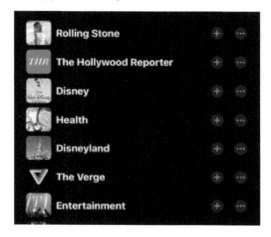

Du kan flytte rundt på dine kategorier ved at trykke på knappen Rediger øverst til højre.

Nyheder+

Den sidste sektion, der skal dækkes, er News+; det er her, du finder alle de magasiner, du elsker.

Formatet svarer til Today-skærmen; de maga-
siner, du læser, er øverst; nedenunder er der histo-
rier fra flere forskellige magasiner, som appen tror,
du vil være interesseret i. Der er også en mere per-
sonlig For You-sektion.

Når du læser artikler fra listen, åbner den i selve magasinet og ser lidt anderledes ud end artiklerne i Today-området.

Når du vil læse mere fra et magasin (eller se tidligere numre), skal du bare klikke på logoet fra den artikel, du er ved at læse.

Det giver en liste over alle de numre, du kan læse, samt nogle af de seneste historier fra magasinet.

Hvis du trykker på knappen '+' i øverste højre hjørne, kan du følge publikationen.

Hvis du trykker længe på magasinets forside i sektionen Mine magasiner, kan du også fjerne følgeskab, slette eller se tidligere udgaver af magasinet.

For at gennemse alle de tilgængelige magasiner skal du vælge Gennemse kataloget fra hovedskærmen (eller gennemse efter en kategori, som du er interesseret i).

Det giver en liste over alle de magasiner, du kan læse (i skrivende stund er der omkring 300).

Tryk længe på en af dem, og du kan downloade magasinet, følge det, blokere det eller gennemse biblioteket med gamle numre.

FITNESS+

En af de største forbedringer, der er på vej til Apple Devices, er Fitness+. Tet bliver en ny Apple-tjeneste, som kommer til at forstyrre fitness-branchen.

Apple gav et overblik over tjenesten i september, men har ikke frigivet den, da denne bog udkom.

Det koster $9,99 om måneden eller $79,99 om året (med tre måneder gratis, hvis du køber et nyt Apple Watch); Fitness+ vil også være en del af den nye Apple One Premier-tjeneste (29,99 USD pr. måned), som giver dig og hele din familie adgang til alle Apple-tjenester.

Tjenesterne fungerer på den måde, at du vælger den type træning, du vil lave, ved at bruge enten dit Apple TViPad eller iPhone; dette synkroniseres øjeblikkeligt med dit ur. Så mens videotræningen afspilles, kan du se ting som din puls på videoen.

Træningsprogrammerne skifter hver uge, og du kan bruge dem med eller uden træningsudstyr. Der er træningsprogrammer til begyndere og øvede, og Apples AI vil anbefale forskellige træningsprogrammer og trænere baseret på dit træningsregime.

Du kan endda filtrere træningsprogrammerne efter tid (fra 5 minutter til 45 minutter); så hvis du kun har et par minutter i kalenderen, kan du finde et træningsprogram, der passer ind i den tidsplan.

Hvis du har brugt (eller kender) Peloton, så er det et meget lignende koncept. Den største forskel er, at det kan fungere med flere enheder (eller slet ingen enhed); det gør det fantastisk til rejser.

Du kan også vælge, hvilken type musik der skal afspilles under din træning.

[10]

VEDLIGEHOLD OG BESKYT

SIKKERHED

Adgangskode (dos and don'ts, tips osv.)
I disse tider er det vigtigt at holde sin enhed sikker. Du vil måske eller måske ikke opsætte et Touch ID (hvis det findes på din model), men det er i det mindste en god idé at have en adgangskode. Hver gang din tablet låses op, genstartes, opdateres eller slettes, vil den kræve en adgangskode, før den tillader adgang til tabletten. For at indstille en adgangskode til din iPad skal du gå til Indstillinger > Adgangskode og klikke på Slå adgangskode til. Du vil blive bedt om at indtaste

en 4-cifret eller 6-cifret adgangskode, og derefter indtaste den igen for at bekræfte. Her er et par tips, du kan følge for at opnå maksimal sikkerhed:

Do's

Opret en unik adgangskode, som kun du kender.

Skift det en gang imellem for at holde det ukendt.

Vælg en adgangskode, der nemt kan ændres senere, når det er tid til at skifte adgangskode.

Det må du ikke

Brug IKKE en simpel adgangskode som 1234 eller 5678.

Brug IKKE din fødselsdag eller dit fødselsår

Brug IKKE en adgangskode, som andre måske har (f.eks. en fælles pinkode til et betalingskort).

Gå IKKE lige ned i midten (2580) eller siderne (1470 eller 3690).

KRYPTERING

Med alle de personlige og følsomme oplysninger, der kan gemmes på iClouder sikkerhed forståeligt nok en meget reel bekymring. Apple er enig i dette og beskytter dine data med 128-bit AES-kryptering på højt niveau. Nøglering-som du vil lære mere om nu, bruger 256-bit AES-kryptering - det samme krypteringsniveau, som bruges af alle de største banker, der har brug for et højt sikkerhedsniveau for deres data. Ifølge Apple er de eneste ting, der ikke er beskyttet med kryptering via iCloud, Mail (fordi e-mailklienter allerede giver deres egen sikkerhed) og iTunes in the Cloud, da musik ikke indeholder nogen personlige oplysninger.

NØGLERING

Har du logget ind på en hjemmeside for første gang i lang tid og glemt, hvilket password du brugte? Det sker for alle; nogle hjemmesider kræver specialtegn eller sætninger, mens andre kræver små adgangskoder på 8 tegn. iCloud leveres med en stærkt krypteret funktion kaldet Nøglering som giver dig mulighed for at gemme adgangskoder og loginoplysninger ét sted. Alle dine Apple-enheder, der er synkroniseret med den samme iCloud-konto, vil kunne indlæse data fra nøgleringen uden yderligere trin.

For at aktivere og begynde at bruge nøgleringskal du blot klikke på Indstillinger > iCloud og slå nøglering til, og følg derefter anvisningerne. Når du har tilføjet konti og adgangskoder til nøglering, vil din Safari-browser automatisk udfylde felterne, mens du er logget ind på iCloud. Hvis du f.eks. er klar til at gå til kassen efter at have handlet online, vil kreditkortoplysningerne automatisk blive udfyldt på forhånd, så du slet ikke behøver at indtaste nogen følsomme oplysninger.

ICLOUD

For virkelig at få den fulde effekt af Apples omhyggeligt skabte økosystem og være en del af det, skal du oprette en iCloud konto. Kort sagt er iCloud et kraftfuldt skysystem, der problemfrit ko-ordinerer alle dine vigtige enheder. Skyen kan være lidt svær at forstå, men den bedste måde at tænke på den er som en lagerenhed, der bor i en sikker del af internettet. Du får tildelt en vis mængde plads, og her kan du opbevare de ting, der betyder mest for dig, så de er sikre. Når det gælder iCloud, giver Apple dig 5 GB gratis.

Din tablet giver dig mulighed for automatisk at sikkerhedskopiere visse filer, f.eks. dine fotos, mails, kontakter, kalendere, påmindelser og noter. Hvis din tablet bliver beskadiget, eller du mister den eller den bliver stjålet, vil dine data stadig være gemt sikkert på iCloud.. For at hente dine oplysninger kan du enten logge ind på iCloud.com på en Mac eller pc, eller logge ind på din iCloud-konto på en anden iPad for at indlæse oplysningerne på den tablet.

Med introduktionen af iOS 8 og iPhone 6 og 6 Plus har Apple indført et par store ændringer. Du vil nu kunne gemme endnu flere typer dokumenter ved hjælp af iCloud Drive og få adgang til dem fra enhver smartphone, tablet eller computer. Deru-dover vil op til seks familiemedlemmer nu kunne dele køb fra iTunesog App Storeså du ikke behøver at købe en app to gange, bare fordi du og en, du holder af, har to forskellige iCloud-konti.

For brugere, der har brug for mere end 5 GB, har Apple reduceret prisen på iCloud drastisk.:
50 GB koster $0,99 pr. måned
200 GB koster 2,99 USD pr. måned
1 TB (1000 GB) koster $9,99 pr. måned.
2 TB (2000 GB) koster $19,99 pr. måned.

APPENDIKS A: TILBEHØR

APPLE PENCIL (ANDEN GENERATION)

Den største ledsager til iPad - måske grunden til, at du købte enheden - er Apple Pencil.. Pencil ligner en almindelig stylus, men den er meget mere sofistikeret end som så; der er faktisk en lillebitte processor inden i den, og når du bruger den, scanner den efter et signal over 240 gange i sekundet.

I modsætning til andre stylus har Apple Pencil et indbygget batteri. For at oplade den skal du blot tilslutte den til den magnetiske side af iPad'en. Apple siger, at du kan få 30 minutters levetid i Pencil ved at oplade den i bare 15 sekunder. Du skal dog ikke bekymre dig om at oplade den hele tiden - den holder ca. 12 timer på en fuld opladning.

Det er også nemt at bruge Apple Pencil er også nemt; så snart du rører Pencil på skærmen, kan iPad'en mærke, at det er en Pencil og ikke en finger. Hvis du trykker hårdere på Pencil på iPad'en, bliver den linje eller det objekt, du tegner, mørkere; hvis du trykker blødere, bliver den lysere. Hvis du vil tilføje skygger, skal du vippe Pencil; sensorerne inde i Pencil beregner din hånds retning og vinkel.

SCRIBBLE TIL APPLE PENCIL

Apple Blyant fik en kæmpe opgradering i iPadOS 16 med en ny "Scribble"-funktion, der lader dig bruge blyanten i søgefelter - så du f.eks. kan skrible tekst i en Google-søgning i stedet for at skrive den.

Du kan bruge Scribble, når som helst der er en tekst.

Hvis du skriver noget forkert eller vil slette det, skal du bare sætte en krusedulle gennem det.

Hvis du vil fremhæve et ord eller en sætning, sætter du en cirkel om det.

Du kan også forbinde to ord ved at sætte en bindestreg mellem ordene.

BRUG AF APPLE PENCIL MED NOTER APP

Når du bruger Apple Pencil med Notes appen, fungerer Scribble anderledes. Teknisk set skribler du stadig tekst, men du vil ikke se den øjeblikkelige konvertering.

I Noter, Apple Pencil appen som en dagbog og holder din håndskrift intakt.

Det betyder ikke, at du ikke kan forvandle dine skriblerier til tekst - processen er bare lidt anderledes. Når du har skrevet teksten, skal du trykke og markere den med fingeren, ligesom du ville gøre med en normal tekst. Når boksen kommer op og spørger, hvad du skal gøre, vælger du kopier som tekst, og så går du hen til det sted, hvor du vil have teksten, og indsætter den.

Apple Pencil er ret sofistikeret, men hvis din håndskrift er lige så dårlig som min, så er der lidt af en indlæringskurve.

Apple Blyant er ikke kun til tekst. Den kan også genkende og konvertere former. For at bruge den skal du tegne en form (f.eks. cirkel, firkant osv.), som du normalt ville gøre, og når du når til slutningen, skal du holde pause, men ikke løfte blyanten - bare holde pause. I løbet af få sekunder vil den vise en forhåndsvisning af, hvordan den mener, at formen skal se ud; hvis du er tilfreds, løfter du blyanten.

APPLE PENCIL INDSTILLINGER

Apple Pencil indstillinger er begrænsede. Du kan få adgang til dem ved at gå ind i appen Indstillinger og vælge Apple Pencil.

Herfra er der to indstillinger, du skal være opmærksom på. Den første er "Dobbelttryk"; når du dobbelttrykker på din Apple Pencil gør den noget - hvad den gør, bestemmer du selv her.

Den anden ting, du skal være opmærksom på, er Scribble; hvis du absolut hader funktionen eller bare har brug for at slå den fra i en kort periode, så tryk på vippekontakten.

SMART TASTATUR TIL IPAD

Tastaturet er i fuld størrelse - hvilket betyder, at det har samme størrelse og mellemrum, som du er vant til på større tablets. At det er i fuld størrelse betyder, at der er plads til genveje. Hvis du f.eks. holder CMD-knappen ved siden af mellemrumstasten nede, mens du er i Pages, kommer menuen nedenfor frem:

Bold	⌘ B
Italic	⌘ I
Underline	⌘ U
Copy Style	⌘ option C
Add Comment	⌘ shift K
Find	⌘ F
Hide Word Count	⌘ shift W
Hide Ruler	⌘ R
Create Document	⌘ N

Hvis Keyboard ikke er robust nok til dig, kan du tjekke Logitech Create-tastaturet ud; det er cirka 10 dollars billigere end Apple Keyboard, men fungerer på samme måde. Logitech-tastaturet har baggrundsbelysning (så du kan se tasterne i mørke) og oplades via iPad'en, så der ikke er brug for batterier. Det har dog en pris - det vejer omkring et halvt kilo.

INDEKS

OM FORFATTEREN

Scott La Counte er bibliotekar og forfatter. Hans første bog, *Quiet, Please: Dispatches from a Public Librarian* (Da Capo 2008) var redaktørens valg i Chicago Tribune og en Discovery-titel i Los Angeles Times; i 2011 udgav han YA-bogen The N00b Warriors, som blev en #1 Amazon-bestseller; hans seneste bog er *#OrganicJesus: Finding Your Way to an Unprocessed, GMO-Free Christianity* (Kregel 2016).

Han har skrevet snesevis af bedst sælgende vejledninger om tekniske produkter.

Du kan komme i kontakt med ham på Scott-Douglas.org.